BASTEI
LÜBBE

Monica Belle

Die Küchenchefin

Erotischer Roman

BASTEI LÜBBE TASCHENBUCH
Band 15 303

1. Auflage: April 2005

Vollständige Taschenbuchausgabe

Bastei Lübbe Taschenbücher ist ein Imprint
der Verlagsgruppe Lübbe

Deutsche Erstveröffentlichung

Titel der englischen Originalausgabe:
Wild in the Country

Dieses Werk wurde vermittelt durch die
Literarische Agentur Thomas Schlück GmbH, 30827 Garbsen
Umschlaggestaltung: Bianca Sebastian
Titelabbildung: IlRl/Mauritius Images
Satz: SatzKonzept, Düsseldorf
Druck und Verarbeitung:
Maury Imprimeur, Frankreich
Printed in France
ISBN 3-404-15303-0

Sie finden uns im Internet unter
www.luebbe.de
www.bastei.de

Der Preis dieses Bandes versteht sich einschließlich
der gesetzlichen Mehrwertsteuer.

Erstes Kapitel

Lege dich bloß nicht mit Gabriel Blane an.

Das war schon auf dem Catering College ein feststehender Begriff gewesen, meist als Scherz gemeint, als geflügeltes Wort wie etwa »Spiel's noch mal, Sam«. Ich hörte den Satz schon am ersten Abend im *Seasons* wieder, aber da war er kein geflügeltes Wort mehr, sondern ein gut gemeinter Rat, ein sehr gut gemeinter Rat.

Er ist der Beste, und er weiß es. Er kennt jeden, wenigstens jeden, der im Restaurantgewerbe eine Rolle spielt. Seine gute Meinung über dich ersetzt zehn Jahre Erfahrung. Wer im Lebenslauf sagen kann, dass er für ihn gearbeitet hat, braucht kein amtliches Diplom mehr.

Aber er ist ein kleines gemeines Arschloch.

Wenn ich mich mit ihm anlegen sollte, blieb mir danach nur noch ein Job – Kartoffelschälen acht Decks unter der Wasserlinie eines Kreuzfahrtschiffs. Trotzdem stand fest, ich würde mich mit ihm anlegen.

Es war schon ein Schock für mich gewesen, als ich merkte, dass ich meine Position bei ihm nicht ausschließlich wegen meiner Vorzüge erhalten hatte, jedenfalls nicht nur wegen der beruflichen Vorzüge. Beim Bewerbungsgespräch hatte ich meine Liebe zur englischen Küche mit all ihren regionalen und saisonalen Variationen erklärt, und wenn sein Blick öfter auf meiner Brust haftete als auf meinem Gesicht, war das für mich keine neue Erfahrung – schließlich war er ein

Mann. Aber zu diesem Zeitpunkt glaubte ich noch, er wäre zu sehr Profi, um nur deshalb ein Mädchen einzustellen, damit er es aufs Kreuz legen konnte.

Ich hatte mich getäuscht. Okay, ich werde beim Bewerbungsgespräch nicht total durchgefallen sein, aber es gab keine Frage, dass er eine Gegenleistung erwartete, eine Belohnung für das Privileg, für ihn arbeiten zu dürfen.

Es hatte mit kleinen Dingen begonnen. Er schob sich aufdringlich an mich heran, wenn er mir zeigen wollte, wie er die Möhren zerkleinert haben wollte. Oder er legte unnötig lange eine Hand auf meine Schulter, wenn er mit meiner Arbeit zufrieden war. Diese subtilen Dinge hatte ich hingenommen, ich blieb cool und neutral, lehnte mich nicht auf, mochte sie aber auch nicht akzeptieren.

Er hatte sich von meiner Zurückhaltung nicht abschrecken lassen und begann mit Komplimenten, nie direkt, fast immer nur im Vergleich zu seinen anderen Leuten. Vor ihnen lobte er meine Arbeit oder meine Figur. Das war hinterfotzig, denn erstens schmeichelte es mir, aber zweitens isolierte es mich von den anderen.

Trotzdem zwang ich mich, diplomatisch zu sein und mein Temperament zu zügeln. Ich gab mich mit kleinen Nadelstichen zufrieden und erschien zum Beispiel in Jeans, nachdem er am Vortag gesagt hatte, dass Frauen in Röcken so sehr femininer wirken. Es war ein Fehler gewesen, da er den Blick nicht mehr von meinem Arsch wenden konnte, seit ich die Küche betreten hatte. So schnell es ging zog ich eine Küchenschürze an, und am nächsten Tag kam ich in einem knielangen Wollrock zur Arbeit.

Von Anfang an wusste ich, wohin es führen würde, deshalb suchte ich nach einem Ausweg. Ich bat um die Versetzung in eines der drei anderen Restaurants, die er seit kurzem betrieb. Er lehnte ab, und mir wurde gesagt, ich müsste doch froh sein, in diesem renommierten Haus zu arbeiten.

Als Nächstes kamen die kleinen Privilegien. Ich durfte dabei sein, wenn neue Weine ausgewählt wurden. Ich nahm diese bevorzugte Behandlung gern an, obwohl ich wusste, was er damit bezweckte. Doch ich hoffte, dass er selbst vor dem letzten Schritt zurückschreckte. Das war ein Irrtum.

Nach nur einem Monat in seinem Restaurant bot er mir die Gelegenheit, ein eigenes Gericht auf die Speisenkarte zu setzen – und diesmal folgte der Wink mit dem Zaunpfahl, dass er etwas Sexuelles als Gegenleistung erwartete, »einen ganz besonderen Gefallen«. Und dabei zwinkerte er mir zu.

Dazu würde es nicht kommen.

Selbst wenn ein Mann mit dem Körper eines griechischen Gottes mich so angemacht hätte wie Gabriel, hätte ich ihn zurückgewiesen.

Er war klein und dünn. Es ist nicht so, dass ich was gegen wieselnde Gartenzwerge habe, ich will nur keinen Sex mit ihnen. Ich mag große, kräftige Männer.

Er war schmierig und gehörte zu der Sorte Mann, die glaubt, Frauen müssten zum Sex überlistet werden. In seinem Fall traf das ja vielleicht auch zu. Dazu trug er auch noch ein Toupet. Also wirklich. Nein, danke.

Es würde nicht geschehen, aber ich konnte der Herausforderung nicht widerstehen, mein eigenes Gericht zu präsentieren. Über die Konsequenzen konnte ich später nachdenken.

Ich hatte mich für ein Magdalen Wildbret entschieden, ein traditionelles Gericht, es passte in die Saison, und da wir weniger als eine halbe Stunde von Oxford entfernt waren, handelte es sich auch um ein halbwegs regionales Produkt (wahrscheinlich gewildert).

Wie bei den meisten Dingen, die ein gutes Essen hergaben, würde wahrscheinlich jeder Gesundheitsamtsprüfer die Hände überm Kopf zusammenschlagen, wenn er auch nur das Rezept las. Man nimmt ein abgehangenes Stück Wild, Damwild am liebsten und nicht zu jung. Es wird in einer offenen Schüssel mit rotem Wein mariniert.

Der Wein soll möglichst aus der Region kommen, aus der auch der Wein stammt, den man später zum Wild serviert. Zwei Wochen soll das Fleisch eingeweicht werden, und natürlich gehört zum Sud noch eine exquisite Auswahl von Kräutern. Dann muss das Wild langsam geschmort werden, ehe es mit frischem Brot, gerösteten Pastinaken, Waldchampignons und ohne Sauce serviert wird – einfach und köstlich. Nur ein wahrer Fanatiker würde die Marinade durchsieben, einkochen und daraus eine Sauce zubreiten.

Glauben Sie bloß nicht, ich hätte Gabriel alle Einzelheiten genannt. Bei all seinen Sprüchen, dass er traditionelle englische Gerichte neu beleben wollte – so viel Aufwand musste es dann doch nicht sein.

Heute Abend also sollte mein großer Auftritt stattfinden.

Ich hatte versucht, mein Gericht stilvoll zu servieren. Ich war wahnsinnig nervös, einmal wegen der Premiere des eigenen Gerichts und zum anderen wegen des ›besonderen Gefallens‹, den Gabriel erwartete. Außerdem hatte ich plötzlich Bedenken. Das Gericht würde für die Gäste viel zu schwer sein.

Deshalb hielt ich mich an diesem Abend an unseren Küchenjungen Teo, ein großer, schwarzer, unkomplizierter Bursche, der meist das Ziel von Gabriels Zorn und Sarkasmus abgab.

Zwischen Teo und mir stimmte die Chemie, und ich hoffte ein bisschen, dass Gabriel so sensibel war und unsere Nähe spürte. Natürlich funktionierte das nicht.

Wir bereiteten eines der anderen Tagesgerichte vor, Wachtelbrüstchen in einer feinen Sauce, als Gabriel zu uns stürmte. Er war verkrampfter als sonst, riss das Messer aus Teos Hand und hob zu einer Tirade an, von der ich sicher war, dass er sie mehrfach geübt hatte.

»Was machst du denn da? Siehst du nicht, wie viel Fleisch du verschwendest? Das kostet ein Vermögen! Komm her, ich zeig's dir.«

Er nahm eine Wachtel und löste die Brust mit zwei knappen, entschlossenen Schnitten, perfekt in der Form und mit geringstem Abfall. Teo wollte wieder nach seinem Messer greifen, aber Gabriel war noch nicht fertig mit ihm.

»Ich habe jetzt keine Zeit für dein Unvermögen, Teo. Bereite die Pastinaken zu, schäle Kartoffel, schrubbe den Boden, beschäftige dich mit irgendwas, aber erspar mir deinen Anblick.«

Teo ging ohne ein Wort und ließ mich allein mit Gabriel zurück, der die nächste Wachtelbrust löste, während er weiter tobte.

»Unbeholfener Esel! Weiß der Teufel, warum ich ihn eingestellt habe. Weiß der Teufel, warum ich mich überhaupt mit halbgarem Gemüse herumschlage. Ich habe gar nicht die Zeit dazu. Für dich natürlich schon, Juliet. Du bist gut, und du bringst Glanz in unser Haus. Hast du dein Gericht fertig?«

»Ja.«

»Beten wir, dass keiner der wirklich guten Gäste es bestellt. Ich will dir ja nicht zu nahe treten, aber ich lege mich ziemlich weit aus dem Fenster für dich.«

»Ja, danke.«

»Du wirst mir später noch zeigen, wie dankbar du mir bist.«

Ich wurde rot, und mein Mund öffnete sich zu einer wütenden Replik, die ich so gerade noch hinunterschlucken konnte. Er ritt wirklich darauf herum, als wäre es die normalste Sache der Welt, von seiner Mitarbeiterin Sex zu erwarten.

»Heute Abend erwarten wir Signor di Gavi, den Tenor. Er hat einen Tisch bestellt. Das bedeutet, dass wir auch Presseleute hier haben werden. Ich will absolute Perfektion. Wir halten so lange geöffnet, wie es sein muss.«

Ich seufzte. Sich für sein Restaurant reinzuhängen war eine Sache, aber wenn es um Promis ging, drehte Gabriel völlig durch. Mehr als einmal hatten wir alles bis zum frühen Morgen geöffnet gehalten, nur weil irgendein hohes Tier mit einer Schar von Kumpanen der Sinn nach Saufen stand und Gabriel meinte, einer könnte vielleicht noch Hunger bekommen. Ich hatte mich damit abgefunden, aber ein paar bezahlte Überstunden wären nett gewesen.

Er richtete sich auf, schaute auf die toten Wachteln, legte sie in den Topf und wandte sich an mich, als er wieder nach einem Vogel griff.

»Hübsche Brüstchen haben wir da, was?«

Wieder schoss rote Farbe in mein Gesicht, und wieder musste ich die Galle schlucken, die in mir aufstieg. Er wollte wohl, dass ich über seine zweideutige Bemerkung kicherte. Wie die hirnlosen Häschen, die aber nur in Männerphantasien existierten. Allein schon zu wissen, dass ich diese Rolle für ihn ausfüllen sollte, brachte meine Zähne zum Knirschen. Aber ich konnte nichts sagen. Ich konnte nur meinen Ekel runterschlucken.

Er wollte wieder was sagen, aber Charles, der Weinkellner, rettete mich. Er stand in der Tür und gab aufgeregte Zeichen. Ich blieb allein bei den Wachteln und mit meinen Gedanken. Während ich die Brüste filettierte, überlegte ich, welche Ausflüchte ich vorbringen könnte.

Es war zwecklos, ihm zu sagen, dass ich einen Freund hatte. Wenn er keine Rücksicht auf seine Frau nahm, würde ihn mein vorgeschobener Freund gewiss nicht beeindrucken. Ich glaubte auch nicht, dass es ihn interessierte, ob ich lesbisch war oder ein Zölibatsgelübde abgelegt hatte. Für ihn war Sex eine Währung, und ich war ein Körper. Meine Gefühle oder Ansichten spielten absolut keine Rolle. Kurz dachte ich auch daran, ihm zu sagen, ich hätte eine Geschlechtskrankheit, aber das war mir zu krass, und außerdem fürchtete ich, er könnte dadurch auf eine wirre Idee gebracht werden, dass er zum Beispiel zwischen meinen Brüsten abrubbeln wollte.

Ich zwang mich dazu, lieber an Teo zu denken. Er sah gut aus. Sechs Fuß feiner Muskeln unter brauner Schokoladenhaut. Seiner würde nicht klein und verschrumpelt sein, sondern fett, so pythonhaft, glaube ich. Dick und lang und hart. Ein Entzücken, ihn zu berühren, zu streicheln, zu lecken und zu saugen, ihn zwischen den weichen Kissen meiner Brüste zu spüren.

Das war die Antwort. Ich würde Teo zu mir nach Hause einladen. Er würde dann in meiner Nähe bleiben, bis wir unseren Dienst beendet hatten, statt möglichst schnell abzuhauen wie sonst. Ich hatte sowieso ein Auge auf ihn geworfen, aber bisher hatte ich versucht, Arbeit und Privatleben getrennt zu halten. Doch jetzt hatte ich die Wahl zwischen Teo und einer Konfrontation mit Gabriel – und das war eigentlich keine Wahl.

Es würde funktionieren, aber es würde die Dinge nur in die Länge ziehen, deshalb spürte ich einen dicken Kloß im Hals, als ich die letzte Wachtelbrust gelöst hatte. Was Gabriel mir antat, war entsetzlich unfair. Er wollte mich zwingen, Sex als Voraussetzung für eine Karriere in seinem Restaurant zu akzeptieren. Und er wusste, wie wichtig mir die Arbeit in seiner Küche war. Ich hing an seiner Angel.

Selbst wenn ich mich wehrte und ihn der sexuellen Belästigung beschuldigte, wäre es das Ende meiner Karriere. Sein Wort würde gelten, nicht meins. Er war der Liebling der Medien, eine Persönlichkeit, hart, aber fair. Er würde den Reportern erzählen, ich hätte dem Druck nicht standgehalten; er würde sich geknickt geben und mich als kleines dummes Gör darstellen.

Selbst falls jemand mir glaubte, würde ich in einem guten Restaurant nie wieder einen Job erhalten. Mein Ruf wäre der einer Frau, die Ärger macht – Finger davon lassen. Meine Zukunft läge in einer Raststätte an der A 1, in der ich Trucker und Wochenendausflügler bediente.

Ich gab die Wachtelbrüstchen an Anna weiter, Gabriels Nummer zwei. Sie huschte davon, geschäftig wie immer, und schon war mein Plan dahin, sie um Rat zu fragen. Ach, es würde eh nichts bringen, ihr die Geschichte zu erzählen. Sie war die einzige andere Frau hier, ständig schlecht gelaunt, vielleicht verbittert darüber, dass sie für einen Mann arbeiten musste, der zehn Jahre jünger war als sie. Sie hatte die meiste Arbeit, war der Blitzableiter seiner schlechten Launen und wurde nie gelobt, deshalb hatte ich ein gewisses Verständnis für sie. Aber es ergab keinen Sinn, von ihr Unterstützung zu erwarten, denn natürlich richtete sich ihr Missmut auch gegen mich.

Ich schaute durch die Doppeltür ins Restaurant und sah, dass Gabriel mit einem wahnsinnig dicken Mann in einem schwarzen Anzug redete. Das musste Signor di Gavi sein, nicht nur, weil er der Rolle eines italienischen Tenors entsprach, sondern auch, weil Gabriel sein kriecherisches Lächeln ins Gesicht gemeißelt hatte und die Finger sich nervös kreuzten. Das war ein untrügliches Zeichen, dass er eine krumme Tour plante.

Ich sah wieder das Bild vor mir, wie seine kleine Peniskuppe zwischen meine Brüste pumpte. Aus keinem ersichtlichen Grund glaubte ich fest daran, dass es das war, was er von mir verlangte. Er würde mich anlächeln, aber in meinen Augen würde es ein fieses Grinsen sein. Er würde mich mit schmutzigen Namen belegen, grunzen, schnaufen, keuchen, je näher er dem Orgasmus kam, und dann ...

Ich würde zu Teo flüchten. Entweder das, oder sofort durch die Tür auf die Straße. Teo bereitete noch das Gemüse zu, und ich wusste, dass mir noch ein paar Sekunden blieben, ehe Gabriel zurückkam und Anna oder mir eine neue Aufgabe zuwies. Kurz entschlossen ging ich zu ihm. Mein Herz hämmerte. Was, wenn er ablehnte? Verdammt – was, wenn er akzeptierte?

Er drehte sich um, als ich mich ihm näherte. Sein voller Mund verzog sich zu einem gutmütigen Lächeln, dann öffnete sich der Mund weit vor Überraschung, als ich meine Hand gegen seinen Schoß drückte.

Er war nicht der Einzige, der überrascht war. Mein eigener Mund öffnete sich noch weiter als seiner, als ich entdeckte, was für ein großer Junge er war. Mit einer Hand konnte ich ihn gar nicht umfassen. Die flippige Bemerkung, die ich mir überlegt hatte, erstarb auf meinen Lippen. Ich brachte nur ein einziges Wort heraus.

»Später.«

Teo lächelte. Ich hatte es geschafft. Ich hatte ihm ein Angebot gemacht, und es würde mich sehr überraschen, wenn er nicht wie Leim an mir klebte, sobald wir mit der Arbeit fertig waren. In seiner Gegenwart würde Gabriel sich nicht trauen, mich zu irgendwas zu zwingen, und danach stand es mir frei, mich mit dieser besten Hand voll Mann anzufreunden, die ich durch mehrere Stoffschichten ertastet hatte.

Ich brauchte nur daran zu denken, und schon wurde ich ganz fickrig, und für ein paar Sekunden verschwand Gabriel Blane aus meinen Gedanken. Aber dann stürmte er durch die Tür. Sein Gesicht war knallrot, sicheres Zeichen für seine Wut. Ich wollte mich rasch in Sicherheit bringen, aber dafür war es schon zu spät.

»Juliet?«

»Ja?«

»Was machst du gerade? Ist dein Wildgericht fertig? Signor di Gavi möchte es haben, und auch die Hälfte der Leute an seinem Tisch. Himmel! Warum ausgerechnet an diesem Abend?«

»Aber das ist doch wunderbar. Es wird in fünf Minuten fertig sein.«

»Nein, es ist alles andere als wunderbar, Juliet. Er ist hergekommen, um meine Küche zu genießen, um von meiner Begabung zu kosten, und ohne es zu wissen, entscheidet er sich für ein Wildgericht, das seit Wochen vor sich hin modert und das ich mir von einem Lehrmädchen habe aufschwatzen lassen. Spätestens morgen wird mein Name in ganz Europa in den Schmutz gezogen!«

»Es wird ein gutes Gericht, ehrlich.«

»Das kann ich dir nur raten, Juliet! Und warum stehst du noch hier rum? Fang endlich an! Drei Essen!«

Ich geriet in Bewegung, das kann ich Ihnen sagen. Mein Herz schlug hoch im Hals. Plötzlich kam mir mein gewagtes Wildgericht als großer Fehler vor. Es taugte nichts für moderne Gaumen. Es sollte von reifen traditionsbewussten Herren gegessen werden; von Menschen, deren Gaumen gut abgehangenes Fleisch wahrnahmen und alten Burgunder zu schätzen wussten. Viele Gäste, die ins *Seasons* kamen, glaubten, dass sie gutes Essen schätzten, aber die meisten bildeten sich das nur ein. Wenn Signor di Gavi auch zu ihnen gehörte und nicht wirklich Gourmet war, würde ich sehr bald mein Waterloo erleben.

Als ich das Wild aus dem Ofen holte, verstärkten sich meine bösen Vorahnungen noch. Es duftete phantastisch, fleischig, durchdringend, betörend, genau, wie es sein sollte, aber wer weniger wohlwollend war, konnte auch vom Geruch des nahen Verfalls reden, kurz vor dem Stadium, in dem es zum Himmel stinkt. Nun, es war zu spät für einen Rückzieher.

Signor di Gavi hatte die Zwei-Zentner-Grenze längst überschritten, er würde an gehörige Portionen gewöhnt sein, also schichtete ich die drei Teller kunstvoll hoch. Ich ließ das Wild sogar in der Sauce schwimmen.

Gabriel persönlich holte die Teller ab und warf mir ob

der Menge einen giftigen Blick zu, der in blankes Entsetzen überging, als er das Wild roch. Er wollte etwas sagen, aber es kam nichts. Ich bemühte mich um einen selbstsicheren Ausdruck und folgte ihm durch die Türen, um ins Restaurant zu linsen.

Ich hatte Signor di Gavi direkt im Blickfeld. Er lachte breit, das Dreifachkinn schwappte, und dicht vorm Mund schwankte das Weinglas hin und her. Ich konnte die Flasche sehen und erkannte das Gold auf schwarzem Etikett – ein Magnien Burgunder. Welcher es war, konnte ich nicht ausmachen, aber der Magnien hat einen sehr erdigen Geschmack, das musste gut passen.

Di Gavi drehte sich um, als Gabriel sich näherte, und sein freundliches Gesicht strahlte, als sein Blick auf die Teller fiel. Ein erstes kurzes Schnüffeln des Gastes, und ich würde Bescheid wissen ...

»Juliet!«

Ich fuhr zusammen und drehte mich um. Es war Anna, verstört wie immer und entschlossen, mich zusammenzustauchen.

»Was machst du da? Du träumst schon den ganzen Abend. Es gibt viel zu tun. Zweimal Wachteln für Tisch sechs. Schnell.«

Ich konnte sowieso nichts mehr sehen, weil Gabriel mir im Weg stand. Du musst professioneller sein, redete ich mir zu und begab mich zu den Wachtelbrüstchen. Ich stellte mich mit dem Rücken zur Tür und erwartete jeden Augenblick Gabriels wütende Beschimpfungen.

Sie blieben aus. Ich dekorierte die Wachtelteller und musste dann von Anna die Pilzsauce übernehmen. Als Gabriel sich wieder in der Küche sehen ließ, sagte er nichts, er schimpfte nur wieder über Teos Unzulänglichkeiten, ehe er im Vorratsraum verschwand. Er war gleich wieder da, hielt eine Pfeffermühle in der Hand und hastete zurück ins Restaurant, ohne mich auch nur eines Blickes zu würdigen.

Ich atmete erleichtert aus, aber gleichzeitig war ich auch wahnsinnig enttäuscht. Zum ersten Mal aß ein Gast im Restaurant ein Gericht, das ich nicht nur zubereitet, sondern auch ausgedacht hatte, und ich hörte keine Resonanz.

Und es war nicht nur irgendein Gast. Ich musste wenigstens einen Blick erhaschen. Ich reichte Anna die Sauce und blinzelte durch die Flügeltür. Gabriel stand am Tisch von Signor di Gavi und verdrehte wieder auf diese kriecherische Weise seine Finger. Der große Tenor schien zufrieden zu sein, und der Teller war absolut blank.

Im Restaurant hatte ich nichts zu suchen, aber ich musste da hinein. Es war unerträglich, mir nicht das verdiente Lob abzuholen. Ich schlüpfte blitzschnell durch die Tür, schlich zum Tisch und hörte gerade noch, was Signor di Gavi zu sagen hatte.

»... wahrhaft göttlich. Ich muss gestehen, ich hätte weder hier noch irgendwo sonst in England eine solche Qualität erwartet.«

Ich stand zitternd da und hoffte, dass ich nur ein wenig errötete. Verzweifelt wartete ich darauf, dass ich vorgestellt wurde. Aber Gabriel hatte mich noch gar nicht wahrgenommen.

»Ich glaube auch nicht, dass Sie sie irgendwo sonst in England finden, Signore«, erwiderte Gabriel. »Die gute englische Küche ist eine Kunst, die fast verloren gegangen ist, und ich gebe mir große Mühe, sie wiederzubeleben.«

»Das ist ein traditionelles englisches Gericht? Ich hielt es für ein Ereignis der französischen Küche.«

»Nein, absolut nicht. Ursprünglich war es eine Spezialität eines Kollegen aus Oxford. Magdalen, der Name dieser Zubereitung des Wildbrets, geht auf einen bekannten Wildpark bei Oxford zurück. Aber selbst dort ist es seit Jahrzehnten nicht mehr angeboten worden. Ein älterer Küchenchef, der sich daran erinnerte, dass es in den fünfziger Jahren serviert wurde, hat mir das Rezept vermacht. Wie Sie schon sagten, ist es eine Zubereitung, die heute kaum noch umgesetzt wird, deshalb bin ich stolz, dass wir uns dem Original verpflichtet haben. Ich gehe nie Kompromisse ein, Signore, selbst wenn damit das Risiko verbunden ist, nicht den Geschmack jedes Gaumens zu treffen.«

»Ich werde Sie weiter empfehlen, Mr. Blane, aber ich glaube, jemand erheischt Ihre Aufmerksamkeit.«

Gabriel wandte sich mir abrupt zu, und für einen Moment sah ich die Verwirrung auf seinem Gesicht. »Gibt es ein Problem, Juliet?«

Im ersten Augenblick konnte ich kein Wort herausbringen. Was ich von ihm gehört hatte, war eine riesige Unverschämtheit, aber ihn jetzt vor einem bedeutenden Gast bloßzustellen und ihn zu beschuldigen, sich mit fremden Federn zu schmücken, würde mich noch schneller auf die Straße befördern als meine Weigerung, ihm den ›besonderen Gefallen‹ zu erweisen. Also murmelte ich nur, dass ich seine Meinung zu einem Problem benötigte, und dann lief ich, den Tränen nahe, zurück in die Küche.

Nach schleimenden Entschuldigungen folgte er, und als sich die Türen hinter ihm schlossen, packte er mich hart am Arm und zog mich aus der Hörweite der anderen.

»Was bildest du dir eigentlich ein, mich derart bloßzustellen?«, fauchte er. »Und das vor dem Signore!«

»Es tut mir Leid, Gabriel, aber … aber es war doch mein Gericht.«

»Was? Es ist das Gericht des *Seasons*, Juliet, und für die Gäste und die Öffentlichkeit bin ich das *Seasons*.«

»Ja, aber …«

»Ich werde das jetzt nur einmal sagen. Dies ist mein Restaurant. So wollen es die Gäste, und so funktioniert das mit den Promis, Juliet. Begreifst du das nicht? Weißt du nicht, dass jeder, der in der Öffentlichkeit steht, ein Team hinter sich hat?«

»Ja, sicher, aber …«

»Kein Aber, Juliet. Ich zahle dich, damit du im Hintergrund bleibst und das tust, was dir gesagt wird. Ist das klar?«

»Ja, Gabriel.«

»Das kann ich dir auch nur raten. Du wirst nie wieder ins Restaurant kommen. Niemals, verstehst du das, Juliet?«

»Ja, Gabriel.«

»Du willst doch nicht, dass ich dich auf die Straße werfen muss, oder?«

»Nein, Gabriel.«

»Du wirst dich in Zukunft also benehmen und ein braves Mädchen sein?«

»Ja, Gabriel.«

»Gut. Es gefällt mir, wie demütig du geantwortet hast. Vielleicht will ich, dass du mich später mit ›Sir‹ anredest, kurz bevor du meinen Schwanz in deinen süßen Mund nimmst, eh?«

Er schritt davon, und ich blieb wütend und entsetzt zurück. Ich kochte. Ich war so zornig, dass ich kaum atmen konnte. Meine Augen füllten sich mit heißen

Tränen. Ich musste meine ganze Willenskraft aufbieten, um meine Gefühle zurückzuhalten. Es gelang.

Ich ging zurück an meine Arbeit. Wir hatten viel zu tun, denn einige Gäste waren noch aus der Veranstaltung gekommen, auf der Signor di Gavi einen Vortrag gehalten hatte. Ich lief herum wie ein Kreisel, weil ich versuchen musste, gleichzeitig Annas und Gabriels Anweisungen auszuführen, was nicht immer einfach war. Aber selbst diese Maloche hielt mich nicht davon ab, darüber nachzudenken, was Gabriel von mir erwartete. Also nicht zwischen meine Brüste. In den Mund. Aber dazu würde es nicht kommen – notfalls würde ich vorher den Laden abfackeln.

Kein Mann hatte mich je mit einer solchen Arroganz behandelt. Ich bin keine Jungfrau, ich war auch nicht schockiert – aber ich war wütend. Man kann eine Menge mit mir anstellen und mich zu vielen Dingen überreden, aber niemand soll mich jemals zu irgendetwas zwingen.

Ich würde also gefeuert werden, und je später der Abend wurde, desto mehr regte ich mich über die schreiende Ungerechtigkeit auf. Mehrmals war ich drauf und dran, einfach abzuhauen, um der hässlichen Szene auszuweichen, die garantiert kommen musste. Aber das brachte ich dann doch nicht fertig. Ich klammerte mich an die schwache Hoffnung, dass meine Verabredung mit Teo mich irgendwie schützen könnte.

Es wurde spät, wie Gabriel vorausgesagt hatte, aber bisher waren wir nur eine halbe Stunde über die Zeit. Signor di Galli blieb fast bis zum Schluss, trank Grappa und lärmte fröhlich auf Italienisch mit seinen Freunden. Als er sich verabschiedete, bedankte er sich bei Gabriel mit einer dicken Umarmung und Küsschen hier und Küsschen da.

Ich sah zu und wünschte, di Galvi geriete ins Stolpern und würde Gabriel mit sich ziehen und mit seinem Gewicht zerquetschen. Meine Gebete blieben unerhört, und so sah ich, wie die italienische Gruppe ging. Ein letzter Tisch war noch besetzt, die Leute hielten sich an Kaffee und Espresso fest.

Wir fingen an aufzuräumen. Die Spannung in mir stieg, bis ich wegen eines Kloßes in meiner Kehle kaum noch sprechen konnte. Teo schlich sich in meine Nähe, worauf ich gehofft hatte. Ich war dankbar, weil ich mich geschützt wähnte.

Gabriel ließ sich durch Teos Nähe nicht entmutigen. Er glaubte tatsächlich, mich im Sack zu haben, und machte sich zum Schluss noch einen Jux daraus, mir die niedrigsten Arbeiten zuzuweisen. Bei dem Geld, das er in dieser Goldgrube scheffelte, könnte er jemanden für die Drecksarbeit einstellen. Aber Gabriel dachte nicht daran. Er liebte es, uns zu zeigen, wohin wir gehörten.

Kann sein, dass er nichts davon mitbekommen hatte, dass zwischen Teo und mir etwas lief. Vielleicht war er auch nur zu arrogant, um sich darüber Gedanken zu machen. Oder er wollte mir auch nur zeigen, wie groß die Macht war, die er über mich hatte. Und so schickte er uns hinaus zu den Mülltonnen, und das war ein Fehler.

Mein Kopf war zu sehr mit anderen Dingen beschäftigt, aber Teos Kopf nicht.

Ich trat gerade aus dem kleinen Verschlag heraus, in dem die Mülltonnen standen, um frische Nachtluft zu atmen und meine Nerven zu beruhigen. Es war eine warme Septembernacht, voll von herbstlichen Gerüchen, nasse Blätter, erdige Reife, der Hauch von Laubfeuern. Es war recht still, in der Ferne das stete Pochen des Straßenverkehrs und nah bei uns das Summen der Klimaanlage.

»He.«

Das war Teo. Er stand hinter mir, und dann spürte ich seine Hand, eine schwache Berührung im Nacken, dicht unter dem Haaransatz. Ein Schauer lief über meinen Rücken. Dies war die richtige Art Schauer, er fuhr auf direktem Weg in meine Pussy. Er berührte mich wieder und streichelte zärtlich meinen Nacken.

Ich biss mir auf die Lippe, als der zweite Schauer in meinen Unterleib schoss. Mein Körper sprach flink auf seine Berührungen an, und es war nur mein Zorn auf Gabriel, der es mir erschwerte, meinen Instinkten gleich nachzugeben. Diese Erkenntnis verstärkte noch meinen Hass auf den Boss.

Meine Arme breiteten sich aus, als ich mich umdrehte, und dann standen wir zusammen, sein Körper hart gegen meinen. Ein großer, starker, richtiger Mann. Er beugte den Kopf, und seine Lippen berührten meine Stirn, meine Nase, meine Lippen. Unsere Münder öffneten sich, unsere Zungen verschmolzen. Er zog mich fester an sich, dann ließ er die Hände auf meinen Po sinken. Ich drückte meine Hände auch auf seinen Po und befühlte seine kräftigen Muskeln, während mein Kopf sich mit seinem Geschmack und seinem Geruch füllte.

Ich fühlte mich großartig, und ich wollte ihn jetzt sofort haben. Riskant war es auch; aber ich liebe riskanten Sex; ob in einem geparkten Auto oder auf einer Party hinter einer nicht abgeschlossenen Tür. Oder am Strand vor hundert Augen, verdeckt nur von einem dünnen Windschutz. Das Unanständige lässt mich mich so lebendig fühlen.

Jetzt ging es um Sex hinter dem *Seasons,* und Gabriel

Blane nur eine Tür entfernt. Ich hätte nichts dagegen gehabt, wenn Teo mich gleich hier hinter der Tür auf seinen Schaft gehoben hätte. Aber er war vernünftiger als ich und wollte mich in den Schatten eines Baums führen.

Auf halbem Weg hielt ich ihn an. Ich wollte ihn bei mehr Licht betrachten können, im Schein des grellen Bewegungsmelders.

Ich wollte ihn saugen. Wenn er danach mehr wollte – gut, aber zuerst sollte er das erhalten, was Gabriel hatte haben wollen. Ich griff an Teos Hosengurt und begann vor ihm auf die Knie zu gehen. Mit einer Hand löste ich mein Haarnetz, ich schüttelte die Haare locker und befand mich auf Augenhöhe mit seinem Schoß.

Teo stieß ein sehnsüchtiges Seufzen aus, als er begriff, was ich tun wollte. Ich öffnete die Knöpfe seines Küchenkittels und legte den dicken breiten Reißverschluss seiner Jeans frei, und dann gab es ein wunderbares Geräusch, als ich ihn langsam über die Beule seiner Erektion zog. Er trug Boxershorts, durch die ich nicht so leicht an ihn herankam, vor allem, weil meine Finger zitterten.

Er lachte über meine Ungeduld, und ich grinste zurück und griff unter den Bund der Shorts. Ich zog sie nach unten, und da stand er wedelnd vor mir, sein schöner dunkler Schaft.

Der männliche Geruch, der jetzt freigesetzt wurde, ließ es in meiner Pussy prickeln. Er war alles, was ich mir erhofft hatte, lang und dick und schön, glatt und gerade, und darunter die großen Hodenbälle. Ich nahm ihn ehrfürchtig in die Hand und fuhr langsam am Schaft entlang, der sofort weiter anschwoll. Er war sehr dunkel, zwei Nuancen dunkler als das Gesicht, und die Vorhaut schimmerte in einem echten Schwarz.

Ich konnte es kaum erwarten, ihn in den Mund zu nehmen, aber ich zwang mich, mich noch einen Moment zurückzuhalten. Das Erlebnis war zu einmalig, um zu hasten; es gibt nicht viele Gelegenheiten, mit einem wirklich schönen Exemplar zu spielen, und dann auch noch unter so besonderen Umständen. Ich strich über die seidige Haut, drückte ab und zu, fühlte das Gewicht der Bälle und schwelgte in dem Bild der Männlichkeit, das ich so dicht vor Augen hatte.

Dann hielt ich es nicht länger aus. Ich öffnete den Mund und nahm ihn auf, nur die Spitze, die sich durch die Vorhaut geschoben hatte. Er sagte nichts, keine schmutzige Bemerkung, kein krudes Anfeuern, keine leere Liebesfloskel – er stieß nur einen langen Seufzer der Lust aus. Ich schürzte die Lippen, um die Vorhaut zurückzurollen und die blanke Eichel im Mund zu fühlen. Er seufzte wieder, eindringlicher noch als vorher.

Ich begann zu saugen, senkte den Kopf und ließ die Stange in meinem Mund tiefer gleiten, so weit in den Schlund hinein, wie ich sie aufnehmen konnte. Die Hälfte schaffte ich auf Anhieb. Mein Saugen verstärkte sich.

Ich musste kommen, während ich ihn bearbeitete. Ganz egal, was sonst geschah, ich musste kommen. Er schwoll rapide an, und Teo strich liebevoll über meine Haare und zog meinen Kopf kaum merklich näher, während ich tief saugte und mit einer Hand meinen Kittel öffnete.

Diesmal war ich froh, einen Rock zu tragen. Ein paar kurze Handgriffe, und ich hatte ihn bis zu den Hüften hochgezogen. Frische Luft umwehte meinen Slip. Ich rieb an Teos Schaft, während ich saugte, und weil er noch dicker geworden war, musste ich den Mund weiter aufreißen.

Mit der freien Hand fuhr ich über meinen Slip. Ich fühlte mich sehr, sehr nass an. Sehr nass und sehr bereit.

Mein Finger drang direkt zur Klitoris vor; mein Verlangen war viel zu stark, um mich nur ein bisschen aufzuheizen. Ich begann zu reiben und stöhnte meine Lust gegen den Schaft, den Teo behutsam in meinen Mund ruckte. Es würde geschehen, er fühlte sich perfekt in meinem Mund an, er war aber auch perfekt für meine Pussy, die danach gierte, gefüllt zu werden, doch ich war meinem Orgasmus schon viel zu nahe.

Er würde kommen. Seine Beine bogen sich, als er in meinen Mund stieß. Er warf den Kopf in den Nacken, die Augen vor Glückseligkeit geschlossen. Ich war entschlossen, dass wir gemeinsam kamen, deshalb rubbelte und zupfte ich immer schneller. Meine beiden Hände arbeiteten im identischen Rhythmus.

Es passierte alles zur gleichen Zeit. Meine Schenkel verspannten sich, meine Pobacken verkrampften, Bauch und Pussy zogen sich im Orgasmus zusammen. Und bei ihm war es genauso, alles in diesem einen Moment. Ich rieb weiter und spürte seine Spritzer, und ich schluckte und leckte und küsste seinen spuckenden Drachen.

Ich zitterte vor Schwäche, und ich musste mich an Teo festhalten, um nicht umzukippen.

Er hielt sich auch an mir fest, bis ich den Schaft aus dem Mund fallen ließ, dann griff Teo mir unter die Arme, zog mich hoch und drückte mich an sich. Ich zitterte noch, aber allmählich kam ich wieder zu mir. Wir kuschelten zusammen, und ich begann zu kichern, als mir bewusst wurde, wie frech wir gewesen waren. Er zeigte ein fröhliches, glückliches Grinsen, und in diesem Moment verlöschte das Licht des Bewegungsmelders.

Wir schufen schnell Ordnung und wussten, dass wir vermisst wurden. Aber niemand kam durch die Tür, deshalb waren es nur meine zerzausten Haare, die etwas von unseren Aktivitäten verrieten, als wir die Küche wieder betraten.

Gabriel war nirgendwo zu sehen und Anna auch nicht. Das war eine günstige Gelegenheit, die Überbleibsel der Marinade zu entsorgen, in der das Wildbret Magdalen gelegen hatte. Zu meiner Erleichterung stand der Kessel noch da, aber als ich danach greifen wollte, hörte ich ein Geräusch hinter mir. Ich wich rasch zurück und tat so, als hätte ich die Klimaanlage überprüfen wollen.

In diesem Moment schwang die Tür auf. Gabriel stand da. »Ah, nun, ob hier oder woanders spielt keine Rolle. Hübsch gemütlich ist es hier.«

Er zog die Tür hinter sich zu, und ich hörte, wie er den Riegel vorschob. Er trat einen Schritt auf mich zu. In meinem Gesicht stritten sich die Emotionen. Wut, Verachtung, Hass. Ich suchte nach einem Ausweg. Wie konnte ich mich ihm verweigern, ohne meine Karriere zu gefährden? Lechzend starrte er auf meinen Körper, Beine, Hüften, Taille, Brüste. Dann sah er die offenen Haare, und sein Ausdruck veränderte sich von Geilheit zu Neugier, zu Ärger.

»Was hast du gemacht?«

»Nichts.«

»Du warst mit Teo draußen.«

»Ja, wir mussten die Tonnen leeren.«

»Ach? Nur das?«

»Ja.«

»Und warum hast du noch seinen Saft in deinen Haaren?«

Instinktiv schoss meine Hand hoch – schuldiger hätte eine Bewegung nicht sein können, und damit saß ich in der Falle. Verlegen senkte ich den Blick und schaute auf meine Schuhe. Es entstand eine längere Pause, dann hörte ich Gabriels harsche Stimme.

»Ich bin verdammt gut zu dir gewesen, und so zeigst du dich erkenntlich, du kleine dreckige Hure. Okay, von nun an bin ich nicht mehr der liebe Onkel. Von nun an wirst du tun, was ich dir sage, wenn du deinen Job behalten willst. Und jetzt kniest du dich hin, holst deine Titten heraus und fängst an zu lutschen.«

Das Temperament ging mit mir durch.

»Nein, lutsch dir selber einen, du schmieriger kleiner Wicht. Ich würde dich nicht anfassen, selbst wenn mein Leben auf dem Spiel stünde. Sieh dich doch an, du bist ein Zwerg, du hast eine Glatze, und du bist hässlich. Außerdem bist du alt genug, mein Vater zu sein. Hau ab.«

Zweites Kapitel

Ich wurde gefeuert.

Man sagt, dass ein Unglück selten allein kommt, und bei mir traf das zu. Der erste Tiefschlag war mein verlorener Arbeitsplatz im *Seasons* ohne Zeugnis und mit einer »In dieser Stadt kriegst du kein Bein mehr auf die Erde« Abschiedsrede. Wie aus einem schlechten Film. Ich wehrte mich nicht, probierte es gar nicht erst mit einer Entschuldigung und stürmte nur hinaus.

Das war's also, und trotz der schreienden Ungerechtigkeit konnte ich nichts dagegen tun. Er war Gabriel Blane, ich war ein Nichts.

Ich hatte gedacht, Teo würde es nicht anders gehen, aber aus irgendeinem Grund traf ihn der Bannstrahl nicht. Ein bisschen unfair, dachte ich, aber es bedeutete auch, dass Teo keinen Grund hatte, sauer auf mich zu sein. Vor dem Restaurant nahm er mich fest in den Arm, und weil ich seinen Trost brauchte, fragte ich, ob er mit mir nach Hause kommen wollte. Er lehnte ab; wahrscheinlich wollte er die Situation nicht ausnutzen, dachte ich jedenfalls.

So musste ich mich mit Grumpy begnügen. Er ist kein Mann, sondern ein riesiger Teddybär, ziemlich abgenutzt, denn ich habe ihn seit meinem sechsten Lebensjahr. Im Geschäft hatte er im Reklamationsregal gelegen, denn irgendwas stimmte nicht mit dem aufgenähten Mund, wodurch er nicht lächelte, sondern schmollte. Mich rührte er tief im Innern, aber meine Eltern nicht. So stand ich mitten im Geschäft und heulte drauflos, bis sie nachgaben. Er war der Liebling meiner Kindheit geblieben, und selbst als Heranwachsende hatte ich mich oft mit ihm unterhalten. Auch heute schlief ich noch mit ihm.

Am Morgen fielen die schlechten Erinnerungen des Vortags über mich her, noch bevor ich richtig wach geworden war. Weil Freitag war, gingen meine vier Mitbewohnerinnen zur Arbeit. Wir verstanden uns gut, fünf junge Frauen, voller Energie und dynamisch, alle auf dem Weg nach oben.

Sarah und Maggie studierten Jura, Chloe arbeitete als Technikerin am Theater, und Heather hatte einen Job in einer PR Agentur gefunden. Ich passte gut zu ihnen, denn sie schätzten mein Kochen. Jetzt war ich beschäftigungslos, und es war höchst unwahrscheinlich, dass ich bald einen gut bezahlten Job fand und meinen Mietanteil zahlen konnte.

Ich blieb im Bett, bis alle gegangen waren, und verbrachte den Rest des Morgens, mich mit Kaffee zu ertränken und in Selbstmitleid zu zergehen. Am Nachmittag suchte ich im Internet nach viel versprechenden offenen Stellen. Es gab ein oder zwei wirklich gute, und mein Optimismus hob sich. Vielleicht würde Gabriel doch nicht so schäbig sein, meinen Namen zu brandmarken. Ich meine, er hatte nichts davon, und außerdem war das, was er mir zugemutet hatte, schon eine Unverschämtheit.

Am Abend hatte ich mich bei vier Restaurants beworben, und außerdem hatte ich den Mut gefunden, den anderen eine leicht zensierte Version dessen zugeben, was sich gestern Abend im *Seasons* abgespielt hatte.

Am Samstag klinkte ich mich aus und fuhr mit dem Zug in die North Downs. Ich wollte durch die Buchenwälder spazieren und ganz allein sein. Vielleicht liegt es daran, dass ich zehn Jahre lang auf dem Land in die Schule gegangen bin, aber in der Stadt bin ich nie völlig entspannt. Ich mag die Weite und die Einsamkeit und die Geräusche und Gerüche der offenen Landschaft und des Waldes. Es gibt nichts Heilenderes für mich, als stundenlang durch die Wälder zu laufen, am liebsten allein.

Der Tag bescherte mir neue Kraft, und danach war ich bereit, mich dem Leben wieder zu stellen und mich auch gegen alle Unbill durchzusetzen. Aber die folgende Woche war die blanke Hölle.

Am Sonntag fand ich, es war Zeit, Teo wiederzusehen. Er hatte meine Handynummer, aber ich hatte seine nicht, und er hatte nicht angerufen. Ich schluckte meinen Stolz und ging zum *Seasons,* um ihn nach der Arbeit abzupassen. Ich stärkte mich mit ein paar Drinks in einem nahen Pub, dann wartete ich im Schatten.

Kaum hatte ich meine Position eingenommen, schritt eine junge Frau vorbei. Beeindruckende Erscheinung; groß, schwarz, arrogant; enges kurzes Top über vollen Brüsten, und die Jeans hingen so tief, dass man den weißen Seidentanga auf dem verlängerten Rücken sehen konnte. Sie warf mir einen kurzen gleichgültigen Blick zu, ehe sie zur Tür des *Seasons* ging. Teo kam heraus, und die beiden umarmten sich innig. So viel zu meinem neuen Freund.

Am Montag hatte ich mein erstes Bewerbungsgespräch. Es ging um die Küche auf einem Flussschiff, also nichts in der Klasse des *Seasons,* aber trotzdem eine interessante Aufgabe. Der Besitzer hieß Ralph Brookman, er hatte einen Vollbart und war recht freundlich, bis er herausfand, wer ich war. Da änderte sich sein Verhalten auf eine drastische Weise, er wurde sogar ausgesprochen feindselig.

Jetzt wusste ich, dass ein Wort die Runde gemacht hatte, aber ich wusste nicht, was Gabriel Blane verbreitet hatte – die Wahrheit jedenfalls konnte es nicht sein. Am Abend teilte uns Maggie mit, dass sie einen Job in einer Firma in Croydon akzeptiert hätte und deshalb ausziehen musste. Ich versuchte, mich für sie zu freuen.

Am Dienstag musste ich zu einem zweiten Bewerbungsgespräch westlich von Oxford. Die Fahrt dahin war umständlich, aber das Restaurant hatte einen guten Ruf, gerade mal ein Jahr alt und sehr in. Aber der Stil war nicht meiner, viel Schnickschnack, wenig Substanz. Ich wäre zu Kompromissen bereit gewesen, aber sie offenbar nicht. Als ich von dort wegging, war ich sicher, dass ich die Stelle nicht erhalten würde. Weil ich nicht zu Hause gewesen war, hatte ich auch die neue Mitbewohnerin nicht mit aussuchen können; die anderen hatten sich schon per Mehrheitsvotum entschieden. Die Neue hieß Roberta.

Der Mittwoch war grau, trübe und nass. Ich verbrachte ihn auf meinem Zimmer, starrte durchs Fenster und hing meinen schwarzen Gedanken an Gabriel Blane nach. Am Abend fand eine Abschiedsparty für Maggie statt, und ich gab mir Mühe, nicht die ganze Zeit Trübsal zu blasen, aber ich glaube nicht, dass es mir gelungen ist.

Am Donnerstag fand das dritte Bewerbungsgespräch statt; es ging um ein chices Restaurant in der Stadt, das Kunden mit organischer Nahrung gewinnen wollte. Die Besitzerin war eine resolute Frau in mittleren Jahren, die mir viele Fragen über Zuverlässigkeit stellte und meine Antworten ab und zu mit einem Schnalzen kommentierte. Noch bevor unser Gespräch zu Ende war, wusste ich, dass ich auch diesen Job nicht erhalten würde.

Am Abend lernte ich die neue Frau kennen, Roberta. Sie war sehr lieb und betont rücksichtsvoll, als würde sie dafür bezahlt. Sie war eine praktizierende Christin und Vegetarierin. Nun gut, leben und leben lassen.

Der Freitag begann mit einem langen Zettel, der mir unter der Tür durchgeschoben wurde. Ich sollte doch bitte meine Tauben aus dem Kühlschrank nehmen, weil es sich dabei in einer ›bewusst denkenden Gemeinschaft um einen unangemessenen beleidigenden Akt‹ handelte. Es war abzusehen, dass Roberta und ich sehr bald schon aneinander rasseln würden.

Zu meinem letzten Bewerbungsgespräch ging ich also in mieser Laune. Es fand in der King's Road statt und war ein Etablissement, das von halbgaren Promis frequentiert wurde. Das Niveau entsprach nicht meinen Vorstellungen, aber der Besitzer war eine anonyme amerikanische Gesellschaft, die sich von Gabriel Blane wahrscheinlich nicht einschüchtern ließ.

Die Gesellschaft nicht, aber der Manager. Er sagte mir direkt ins Gesicht, wenn er gewusst hätte, bei wem es sich bei diesem Termin handelte, wäre er gar nicht erst zustande gekommen. Ich ging, fühlte mich elend und erschlagen und hätte alles dafür gegeben, um herauszufinden, was Blane über mich verbreitet hatte. So wie der Mann reagierte, müsste ich mindestens in die Suppe gepinkelt haben.

Am Samstag rief meine Mum an und sagte, dass Granny gestorben war.

Das war der größte Hammer in dieser Woche. Als

Kind war ich oft bei ihr gewesen, aber seit ich auf dem College war, hatte ich sie nicht wieder gesehen, und das weckte jetzt bittere Schuldgefühle in mir. Ich blieb den ganzen Tag im Zimmer, vergoss manche Träne, war mit der Welt fertig und fragte mich wehleidig, warum sich das ganze Leben gegen mich verschworen hatte. An diesem Abend ertappte ich mich dabei, dass ich das erste Mal seit vier Jahren wieder mit meinem Teddy redete.

Die folgende Woche war einfach widerwärtig, sechs verregnete Tage am Stück. Ich suchte keine Jobs mehr. Die Beerdigung war schrecklich. Kalte Kirche und ein Vikar, der Granny nicht mal gekannt hatte und die ganze Zeit über sie redete. Nasser, dunkler Friedhof, und von meiner Nase tropften Regen und Tränen.

Ungemütlicher Gemeindesaal mit Cousinen und Tanten, die aufgeregt über die Erbschaft tuschelten. Als ich endlich wieder in der Wohnung war, fand ich Roberta vor, die in lebhaften Einzelheiten schilderte, was unverdautes Fleisch im unteren Dickdarm anrichtete.

Als ein dicker brauner Umschlag mit dem Poststempel aus Newbury eintraf, war mir klar, dass es sich um die Kanzlei handelte, die Grannys Testament vollstreckte, und noch als ich den Umschlag aufriss, erwartete ich, gleich noch deprimierter zu sein als bisher.

Mein Großvater war gestorben, bevor ich geboren wurde, und als ihre Kinder erwachsen waren, zog Granny in das Cottage nach Berkshire, in dem ich sie als Kind so oft besucht hatte. Für mich war sie immer eine arme Frau gewesen, die ihre Pennys zusammenhalten musste; sie lebte von Brot und Schmalz, um mir Erdbeeren mit Sahne und Schokokekse vorsetzen zu können. Ich hatte gar nicht gewusst, dass ihr das Cottage gehörte.

Es gehörte ihr, und sie hatte es mir vermacht. Mir – trotz ihrer drei Kinder und der acht Enkel, unter denen sie hätte wählen können. Und zum Cottage hatte sie mir auch noch ihr Barvermögen vererbt – fast dreihunderttausend Pfund. Zuerst konnte ich es gar nicht glauben, ich saß da und las den Brief immer wieder durch, überzeugt, noch einen Haken zu finden.

Es gab keinen Haken, mal abgesehen davon, dass ich einen Batzen Erbschaftssteuer zahlen müsste. Ich fühlte mich der Großzügigkeit unwürdig, und die Schuldgefühle schlugen über mir zusammen. Schuld meiner Granny gegenüber, die ich so lange vernachlässigt hatte, aber auch dem Rest der Familie gegenüber. Erst danach setzte eine ungeheure Dankbarkeit ein und noch etwas anderes – ein unerwartetes Gefühl der Sicherheit.

Bis zu diesem Moment war mir gar nicht bewusst gewesen, dass ich mich so ungesichert gefühlt hatte, so entwurzelt. Plötzlich hatte ich ein Haus und genug Geld, um nie wieder ohne Dach überm Kopf leben zu müssen. Von einem Moment zum anderen hatte sich mein Leben drastisch verändert.

Es schien jetzt auch nicht mehr wichtig zu sein, einem Job hinterher zu jagen. Ich könnte jetzt schon etwas realisieren, was ich mir als Hirngespinst für spätere Jahre ausgedacht hatte – irgendeine Beschäftigung auf dem Land, unabhängig, ganz auf mich gestellt. Niemand, der mir sagen konnte, was ich zu tun und zu lassen hatte.

Ich kam mit meinen Freunden zurecht, sie waren okay, aber sie und andere übten einen konstanten Druck auf mich aus, dass ich zu ihnen passte, dass ich mich entsprechend kleidete, mich mit den richtigen Männern traf, die richtigen Filme auswählte.

Auf dem Land würde alles anders sein. Ich konnte im

Blaumann durch die Felder und Wiesen laufen oder zum Essen ein Cocktailkleid aus den Zwanzigerjahren anziehen, oder ich konnte nackt durch die Gegend wandern, wenn mir danach war. Ich konnte meine Haare bis zum Po wachsen lassen und Zöpfe flechten, oder ich kannte mir eine Glatze schneiden. Ich konnte mir einen muskulösen Bauernjungen auf eine gute, harte Nummer einladen. Besser noch – ich konnte mir *The Blues Brothers* und *The Rocky Horror Picture Show* ansehen, während ich nackt auf der Couch lag, mit den Fingern gut abgehangenes Fasanenfleisch zum Mund führte und mich von einem gut bestückten Gehilfen sexuell bedienen ließ.

Ich setzte meine Hoffnungen vielleicht ein wenig zu hoch an, aber der Rest meiner Gedanken war durchaus realistisch. Zur Zeit lag das Zinsniveau niedrig, also würde ich nicht vom Zinsertrag leben können. Aber viel würde ich auf dem Land nicht brauchen.

Zum Cottage gehörte ein großer Garten; ich konnte mich fast selbst versorgen. Ich hatte gelernt, Marmelade zu machen und Fleisch zu räuchern, und ich hatte Kontakte, meine Produkte zu vermarkten.

Je länger ich darüber nachdachte, desto mehr begeisterte mich die Idee des selbständigen Lebens auf dem Lande. Ich konnte Restaurants beliefern, Pasteten herstellen, Fleisch kaufen, bearbeiten und weiter verkaufen – die Möglichkeiten waren endlos.

Am Wochenende fuhr ich nach Berkshire. Newbury war so trist und nass wie die Woche vorher, aber meine Gefühle waren ganz anders. Als der Zug Reading passiert hatte, schaute ich aus dem Fenster auf die niedrigen bewaldeten Hügel, hinter denen mein neues Zuhause lag.

Die Brücken hinter mir hatte ich schon abgebrannt, indem ich meine Wohnung gekündigt und Roberta gesagt hatte, wohin sie sich ihre Bibel und die Tofu-Koteletten stecken konnte. Ich musste nur noch meine Habseligkeiten abholen.

Als ich die Kanzlei verließ, klarte das Wetter auf. Im Westen brach die Sonne durch die Wolken und malte die nassen Flächen silbern und golden. In meiner Tasche steckte der Schlüssel zum Cottage, und als ich im Taxi saß, tobte eine immense Erregung in mir, die nur noch von dem Gefühl der Freiheit übertrumpft wurde.

Alles war noch so, wie ich es in Erinnerung behalten hatte, kleine Täler zwischen den sanften Hügeln, ein Flickenteppich aus Feldern, Wiesen und Wäldern und Weilern mit roten Steinhäusern. Nur der gelegentliche Bungalow zeigte, dass wir uns im einundzwanzigsten Jahrhundert befanden und nicht mehr in den Dreißigerjahren.

Wir gerieten an eine Furt, die nach den Regenfällen der letzten Wochen so tief war, dass der Fahrer ein paar Minuten überlegte, ob er sie ohne Risiko durchfahren konnte. Es war nur noch eine halbe Meile, deshalb sagte ich, er könnte zurückfahren; ich ginge zu Fuß weiter.

Ich erinnerte mich an die Furt und war oft mit dem Fahrrad durchgewatet, bis ich von oben bis unten bespritzt war. Der Anflug von Melancholie verflüchtigte sich bald, ich warf meine Tasche über die Schulter und trat auf den schmalen Steg an einer Seite des Weges.

Seit zehn Jahren war ich nicht mehr hier gewesen, und so weit ich sehen konnte, hatte sich nichts verändert. Kraftvoll die Farben des Waldes, das frühe Herbstlaub leuchtete prächtig und zog eine Vielfalt von Vögeln an;

Krähen, wilde Tauben und das glitzernde Blau des Eichelhähers.

Auch die Geräusche hatten sich nicht verändert – über allen das quirlige Wasser im Bach, der gelegentliche schrille Schrei eines Fasans oder das dumpfe Bellen eines Hundes. An einigen Stellen drang das monotone Rauschen des Verkehrs auf der M4 durchs Tal, aber es störte mich nicht, es hatte eher den Klang der Nostalgie.

Ich kannte jede Biegung, jeden Landstrich. Der Weg gabelte sich, ich ging nach rechts in den Feldweg hinein, der so selten benutzt wurde, dass in der Mitte Gräser und Unkraut in die Höhe schossen. Auf einer Seite wurde der Weg vom Wald begrenzt, auf der anderen von einer hohen Hecke. Und ich mittendrin, fast eingeschlossen, aber angestrahlt vom goldenen Licht der Sonne.

Eine ganz bestimmte Erinnerung stieg hoch. Ich war zehn oder elf, spielte im Wald und wurde von einem Mann angeschrien, weil ich Glockenblumen pflückte. Er hatte mich nicht geschnappt, aber ich hatte es Granny gestanden. Sie hatte mir einen Vortrag über den Respekt vor dem Besitz anderer Menschen gehalten, den ich heute noch im Kopf hatte. Sie war dann mit mir zu einem großen alten Haus gegangen, über eine Meile entfernt, und ich hatte mich bei einem alten rotgesichtigen Mann mit Schnurrbart und Tweedanzug entschuldigen müssen. Zu meinem Entsetzen war er mit einer Schrotflinte bewaffnet gewesen.

Jetzt konnte ich darüber lachen, ich konnte mich sogar noch an den Namen erinnern: Paxham-Jennings. Da war auch ein Junge gewesen, fein angezogen und eingebildet, und er hatte mich verächtlich angesehen, während ich mich durch meine Entschuldigung haspelte. Er war etwa vierzehn gewesen, musste jetzt also vierundzwanzig sein. Vielleicht würde ich ihm oder seinem Vater bald schon über den Weg laufen.

Ich wusste natürlich nicht, ob die Familie das Haus überhaupt noch bewohnte, aber wenn nicht, hatten die neuen Besitzer die großen weißen Schilder PRIVAT! nicht ausgewechselt, die an jedem Tor und zusätzlich noch an manchem Baum hingen.

Lächelnd dachte ich daran, dass ich die Schilder früher bewusst als Herausforderung empfunden hatte. Irgendwie nervte es mich, dass jemand so viel schönes Land besaß und es anderen Menschen – in erster Linie mir – verwehrte.

Es gibt immer zwei Seiten einer Medaille, wie ich gleich deutlich erfahren sollte, als das Cottage in mein Blickfeld geriet. Es entsprach genau meinen Erinnerungen; ein gedrungenes, asymmetrisches Haus aus roten Ziegelsteinen mit einem steilen braunen Dach und unverhältnismäßig hohen Kaminen, und das ganze Anwesen von einer dichten Hecke umgeben.

Was ich vom Garten sehen konnte, war auch unverändert – Rasen, Pfade, Kräutergarten, kleine eingefasste Beete. Dahinter die wilde Wiese – auch wie früher.

Aber dahinter war die Veränderung; da stand etwas, was nicht dahingehörte. Birken und Haselnusssträucher waren zurückgeschnitten, und auf dem Platz davor stand ein Caravan, und aus einem krummen Kamin kräuselte Rauch hoch. Jemand stand auf meinem Land!

Ich war völlig irritiert, richtete meinen ganzen Körper auf und ging schneller, als wollte ich auch nach außen hin feststellen, dass Haus und Garten jetzt mein Besitz waren. Was war da geschehen? Hatte sich jemand bei Granny eingeschlichen? Hatte er oder sie vielleicht sogar gehofft, das Cottage zu erben?

Keine gute Entwicklung, und sie brach die bittersüße Stimmung, die sich den ganzen Tag in mir immer stärker aufgebaut hatte. Ich trat durchs Gartentor, entschlossen, den Eindringling höflich, aber bestimmt von meinem Besitz zu weisen. Ein ausgetretener Pfad führte zum Wohnwagen. Die Vorhänge waren zugezogen, aber an einem Fenster nahm ich eine flüchtige Bewegung wahr, als ich mich näherte.

Die Tür schwang auf, und eine Frau trat heraus; ein Mädchen, nicht älter als ich, klein, ein bisschen füllig, rundes Gesicht unter goldenen Locken. Sie lächelte mich an.

»Hallo, Juliet. Das mit Jean tut mir Leid. Ich weiß, wie du dich fühlen musst. Meine Großmutter ist im vergangenen Jahr gestorben. Hier wirst du alles so finden, wie es sein soll. Die Post besteht nur aus Müll und Rechnungen, aber ich habe sie auf den Tisch im Flur gelegt. Die Zeitung habe ich abbestellt, aber Bob kommt am Donnerstag vorbei, um zu hören, ob du sie wieder haben willst. Cherry geht es gut, und Harriet und Hillary habe ich schon gemolken. Heute Morgen gab es sechs Eier, aber ich muss gestehen, dass ich eins stibitzt habe. Ich habe Feuer für dich gemacht. Heute Nachmittag bin ich weg, sobald Dad den Traktor nicht mehr braucht. Ich bin übrigens Emma. Möchtest du einen Tee haben?«

Sie war so freundlich, so sympathisch und offenbar so unaufhaltsam, dass meine kleine strenge Rede zerfloss, noch bevor ich damit begonnen hatte. Ich brachte nur zwei Worte heraus: »Ja, danke.«

Sie hüpfte zurück in den Wohnwagen, und ich folgte ihr, ein wenig benommen von der Fülle der Informationen, die sie aufgezählt hatte. Und sie war noch längst nicht am Ende damit, wie ich bald hörte.

»Zucker, Milch? Ich habe auch Zitrone, wenn du möchtest. Oh, im Kamin des Schlafzimmers gibt es ein Taubennest. Jean brachte es nicht übers Herz, es auszuheben. Ganz schlimm ist es nicht, weil du einen Heizofen im Zimmer hast.«

Ich nickte. »Milch ja, Zucker nein, bitte. Ist das frische Ziegenmilch?«

»Ja, klar. Harriet steht voll im Saft, aber Hillary geht's nicht so gut. Die Nummer des Tierarztes steht in Jeans Buch, wenn du ihn brauchst.«

Ich nickte wieder, überwältigt von der Vorstellung, eigenes Vieh zu haben. Für ein Glas frische Ziegenmilch tat ich fast alles, aber mit Ziegen konnte ich am meisten zaubern, wenn sie tot waren. Mit einer lebenden Ziege wusste ich nicht viel anzustellen, fürchtete ich. Und die Hühner? Nun, mit denen würde ich wohl fertig. Cherry war der Name von Grannys rötlichgelbem Kätzchen gewesen, das inzwischen wohl eine große alte Katze geworden war. Sie wenigstens würde ich schaffen.

Emma blieb einen Moment still, während sie den Gasofen mit einem Zischen anwarf, um Wasser zu kochen. Ich legte einen Stapel Kleider auf das kleine Bett und setzte mich.

»Tut mir Leid wegen des Durcheinanders, aber das ist typisch für mich. Was wirst du also tun? Ich hoffe, du verkaufst nicht.«

»Nein. Ich will einziehen.«

»Großartig! Dann werden wir ja Nachbarn. Du bist an

unserem Haus vorbeigefahren, Bourne Farm. Unten am Fluss mit der neuen Scheune.«

»Ja, ich habe sie gesehen.«

Ich brach ab und verstummte. Da war plötzlich das Bild eines kleinen Mädchens vor mir. Blonde Locken und ein blau verschmierter Mund. Es schaute mich zornig an. Am Weg hatte ich Heidelbeeren gepflückt, und das Mädchen sagte, es wären seine Beeren. Ich weigerte mich, die Beeren herauszugeben, und die Blonde bewarf mich mit Dreck. Ich wehrte mich, aber dann tauchten drei größere Jungs auf – ihre Brüder. Ich zahlte Fersengeld, aber seither herrschte jahrelanger Streit zwischen ihnen und meinen Vettern und Cousinen.

Jetzt fiel mir auch wieder der Spitzname ein, den mein ältester Vetter für die kleine Blonde erfunden hatte. Pudding. Sie sprach immer noch, aber ich hob beide Hände und unterbrach sie.

»Du bist ... ich meine, du erinnerst dich von früher an mich? Als wir klein waren?«

»Ja, klar, Nasehoch.« Sie kicherte.

»Nasehoch?«

»Ja, entschuldige, aber so haben wir dich immer genannt. Du hast so überlegen getan oder gewirkt.«

»Ich? Überlegen?« Ich lachte. »Dich haben wir Pudding genannt.«

Entsetzt über mich klappte ich den Mund zu. Wieso sagte ich so was Törichtes? Sie war nicht fett, aber ein bisschen drall. Ich war froh, dass sie lächelte.

»Ich weiß. Jean hat es mir gesagt. So sind Kinder eben. Wir haben dich schließlich mit Stöcken und Steinen beworfen.«

»Daran erinnere ich mich noch gut. Besonders die

Jungs haben den Streit ernst genommen. Sie haben wahre Beutezüge unternommen und Äpfel und Maiskolben auf eurer Farm gestohlen. Bis John sich mal kräftig geprügelt hat ...«

»Ja, mit Mark! Aber Jean hat ihm gründlich den Kopf gewaschen. Nun, das ist lange her.«

»Ja, irgendwie wurden wir alle erwachsen – nein, nicht alle. Erinnerst du dich an Toby Paxham-Jennings?«

»Vage, ja. Der Name ist mir eben erst wieder eingefallen. Der Besitzer von Alderhouse Estate, nicht wahr? Oder ist Toby der Sohn?«

»Der Sohn. Der Name des Alten ist Donald. Er ist schon schlimm genug, aber Toby ist ein Arsch. Sie wollen aus ihrem Landsitz ein Refugium für die Stinkreichen machen, die herkommen und auf alles schießen, was sich bewegt. Sie erwarten, dass Dad die Hälfte der Kosten für Zäune und Hecken zahlt, um die Grundstücksgrenzen zu sichern. Wenn wir uns weigern, wollen sie uns vor Gericht zerren, denn ihre Fasane geraten auf unser Land, und dann nehmen wir sie uns. Das ist unser gutes Recht. Ach, lassen wir diesen Scheiß. Der Alte hat uns nie verziehen, dass wir als Kinder seine Quitten geklaut haben, und Toby hatte Angst vor meinen Brüdern. He, der Tee geht mir am Arsch vorbei. Warum trinken wir nicht eine Flasche Wein? Wenn du willst, bereite ich uns ein leckeres Abendessen zu. Oder willst du jetzt lieber ins Cottage?«

»Noch nicht. Plötzlich fühle ich mich noch nicht bereit. Ich möchte gern was kochen. Ich war in der Ausbildung zur Küchenchefin. Bis ich gefeuert wurde.«

Ich erzählte ihr mein Leben rückwärts – *Seasons*, College, Schule. Ich schonte mich nicht mit Einzelheiten, selbst Teo ließ ich nicht aus, was Emma mit leisem

Kichern quittierte. Sie lauschte dankbar und fasziniert, besonders bei den unanständigen Passagen.

Als ich fertig war, hatte sie eine Flasche Wein geöffnet, einen Piesporter, und schenkte ihn in die Becher ein, die sie für den Tee auf den Tisch gestellt hatte. Ich schwenkte meinen Becher, schnüffelte aus Gewohnheit, nippte vorsichtig und bemühte mich, den wässrigen Geschmack nicht im Gesichtsausdruck zu zeigen.

Emma lachte und schüttelte den Kopf.

»Was ist denn?«

»Du hast dich überhaupt nicht verändert. Ich kann dich an diesen Ausdruck erinnern, wenn ich dich mit Dreck beworfen habe. Nasehoch.«

»Pudding.«

Wir lachten beide, stießen unsere Becher zusammen und tranken. Ich hatte eine Freundin gefunden, und wenn wir äußerlich auch recht verschieden aussahen, waren wir innerlich vielleicht ziemlich ähnlich. Gewiss würde sie mich nicht zurechtweisen, weil ich gern Fleisch aß oder nicht der letzten Mode folgte.

Sie schien auch rücksichtsvoll zu sein, und obwohl ich sie nicht direkt danach fragen wollte, sah es doch so aus, als hätte sie ohne Entschädigung auf Granny aufgepasst und im alten Wohnwagen genächtigt, um im Notfall vor Ort zu sein. Und ich hatte in dieser Zeit meine Karriere verfolgt, was mir jetzt ziemlich egoistisch vorkam.

Sie hatte den Schlüssel zum Cottage, also hätte sie auch ins Haus ziehen können. Ich nahm einen Schluck des deutschen Mundwassers und fragte: »Also, was gibt's an Essbarem?«

Sie stand auf und zog den Schrank auf. »Eier.«

»Okay, also gibt's Eier. Bleib hier.«

Ich sprang hinaus. Ich war oft in Grannys Gemüsegarten gewesen. Der frische Duft und der wunderbare Geschmack hatten meine Liebe zum Kochen ausgelöst. Ja, da war noch alles; Lauch, Kartoffel, Zwiebeln, Möhren und Kohl, alles in unkrautfreien Reihen. Ich schätze, dass Emma dafür gesorgt hatte.

Ich zog eine Lauchstange aus dem Boden, ging hinüber zum Zaun und sah die dicken Kuppen großer Pilze aus dem Gras schießen. Ich lange durch den Zaun, als ich Emmas Stimme hörte.

»Nein, Juliet, nicht diese!«

»Sei nicht verrückt! Sie sind nicht giftig und schmecken ausgesprochen herzhaft.«

»Das weiß ich auch, aber sie wachsen auf dem Land von Paxham-Jennings. Die kriegen sich nicht mehr ein, wenn sie dich erwischen.«

»Aber wer soll mich schon erwischen? Außerdem verderben die Pilze, wenn sie jetzt nicht geerntet werden.«

»Glaube mir, das spielt keine Rolle. Der Wildhüter ist eben erst, kurz bevor du angekommen bist, vorbeigegangen; er könnte noch in der Nähe sein. Mr. Marsh, der Gorilla in Menschengestalt.«

»Ach, übertreibe nicht.«

Ich langte durch den Zaun und brach schnell zwei, drei der großen Pilze.

»Juliet!«

Sie sah wirklich schockiert aus, als ich mich mit der Beute umdrehte, und dann schaute sie mit großen Sorgenfalten in das dichte Unterholz des Waldes. Erst als ich wieder im Caravan stand, folgte sie mir verlegen kichernd, schaute aber wieder besorgt durchs Fenster.

»Aber so schlimm kann er doch nicht sein.«

»Doch, ist er. Und wenn er das erfährt, verstärken sich noch die Auseinandersetzungen zwischen Dad und dem alten Paxham-Jennings.«

»Entschuldige, daran habe ich nicht gedacht.«

»Ja, schon gut, aber achte in Zukunft darauf, bitte. Die Leute machen Ärger.«

»Okay. Wo hast du eine Pfanne?«

Bald saßen wir da und aßen das, was zweifellos mein bestes Omelette gewesen sein musste. Die Frische verlieh den Zutaten einfach einen besseren Geschmack, der auch nicht mit erlesenen Gewürzen zu erreichen war, auf die Gabriel Blane sich so viel einbildete.

Emma gabelte eifrig und sagte nichts, bis ihr Teller leer war, und erst als sie ihren Becher Piesporter geleert hatte, sagte sie: »Phantastisch.«

»Gern geschehen. Jetzt bin ich auch bereit, mir das Cottage anzusehen.«

Ich war froh, dass sie bei mir war, denn ohne sie hätte die Melancholie über meine Euphorie gesiegt, und der Tag hätte in Tränen geendet. Aber mit ihr fühlte ich mich gewappnet.

Wir gingen hinüber, und Emma plauderte, bis wir vor der Tür standen. Dann wurde ihr Ton plötzlich ernst.

»Ich habe aufgeräumt und viele persönliche Dinge sortiert. Ich hoffe, du hast nichts dagegen.«

»Nein, danke.«

Sie hatte die richtige Entscheidung getroffen. Ich wollte nicht im Gram suhlen, aber seit ich die Haustür aufgeschlossen hatte, musste ich mit den Tränen kämpfen. Zuerst war es der Geruch, der mir so vertraut geworden war, dass ich mich fast wieder als kleines Mädchen fühlte. Ich trat hinein, und ich glaubte, Grannys Stimme zu hören, wie sie rief, dass ich die

Schuhe abstreifen und den Mantel an den richtigen Haken hängen sollte.

Ich blieb stehen, die Lippen geschürzt, die Tränen dicht vor dem Ausbruch. Dabei war ich sicher gewesen, mich im Griff zu haben.

Emma legte einen Arm um meine Hüfte, sagte aber nichts und wartete, bis ich mich wieder gefangen hatte. Ich schüttelte den Kopf, als wollte ich der Erinnerungen Herr werden, dann trat ich ins Wohnzimmer, wo ich immer auf einer Liege geschlafen hatte.

Alles sah noch so aus wie früher, die Tapete, der Teppich, die Stühle – und doch sah alles so ganz anders aus, weil das Zimmer nicht mehr bewohnt war. Sogar die Bücher standen noch so, wie ich sie im Gedächtnis hatte; alte Taschenbücher und noch ältere in Leinen gebundene Romane, einige uralte Sammelbände eines Zeichners namens Giles und gebundene Ausgaben alter Magazine.

Auch das Bad sah unverändert aus. Die Wanne war so breit, dass ich die Arme nicht auf die Ränder legen konnte, wahrscheinlich würde mir das selbst heute nicht gelingen. In der Spülküche stand die alte Mangel noch neben der Waschmaschine. Die Vorratskammer sah anders aus, aber das lag daran, dass sie fast leer war, nur ein paar Gläser mit Marmelade und eingelegten Silberzwiebeln standen noch da, wo früher jeder Stellplatz ausgefüllt gewesen war.

In der Küche stand jetzt eine Mikrowelle, aber es gab auch noch den alten gusseisernen Herd. Ich bückte mich und blinzelte hoch in den Kamin, durch den ich den Himmel sehen konnte, und da waren auch noch die großen Eisenhaken. Granny hatte gedroht, uns dort an den Kragen aufzuhängen, wenn wir Enkel wieder mal irgendeinen Schabernack getrieben hatten. Ich hatte ihr immer geglaubt, dass dies der richtige Verwendungszweck der Haken wäre, aber jetzt wusste ich es besser.

Es waren Räucherhaken, hauptsächlich für Schinken, und genau dafür wollte ich sie auch wieder nutzen, wahrscheinlich das erste Mal seit hundert Jahren. Ich hatte mich bisher nie für die Architektur des Hauses interessiert, aber Küche, Spülküche und das jetzige Bad waren sehr alt und ursprünglich vielleicht das ganze Cottage gewesen, die Schlafzimmer unterm Dach. Später hatte man angebaut und Wohnzimmer, das heutige Schlafzimmer und den Flur hinzugefügt. Ich musste an die Menschen denken, die früher hier gewohnt hatten. Ganze Familien, vermutlich Arbeiter.

Ich stand da und ertappte mich mit einem weinerlichen Gesicht, denn ich fragte mich, wie viel Wissen mit diesen Menschen gestorben war. Vor hundert Jahren hätte ein Mädchen wie Emma nie Wein getrunken, sondern den Apfelwein vom eigenen Bauernhof. Damals gab es noch vor fast jedem Haus einen Obstgarten.

»Bist du okay, Juliet?«

»Entschuldige, ich habe geträumt. Ich war meilenweit weg. Bin ich meistens.«

»Schon okay.«

Es blieb noch das Schlafzimmers, Grannys Heiligtum. Da kannte ich mich am wenigsten aus. Sie war immer geheimnisvoll damit umgegangen, was meine Faszination natürlich nur erhöht hatte. Ein Gegenstand hatte meine Neugier in besonderem Maße angestachelt, ein Wandschirm aus geschnitztem Holz mit leuchtenden Papageien, die in den dünnen Stoff gestickt waren. Ich hatte nicht richtig begriffen, dass man ihn nutzte, um sich dahinter auszuziehen, weil ich auch nicht verstand, welches Geheimnis man denn für sich behalten wollte. Natürlich weiß ich gar nicht, ob Granny ihn überhaupt benutzte.

Der Schirm stand noch da wie früher; er war kleiner, als ich ihn in Erinnerung hatte, aber das traf auf alles andere im Schlafzimmer auch zu. Und auch jetzt hatte ich das Gefühl, irgendwie ein Eindringling zu sein. Ich sagte mir, dass ich albern reagierte, aber ich versuchte, völlig geräuschlos zu sein, als ich die Tür zuzog und zurück in den Flur trat. Emma wartete auf mich.

»Wenn du einverstanden bist, lasse ich dich jetzt allein. Dad wird den Traktor nicht mehr brauchen.«

Ich wollte nicht, dass sie ging. »Nein, bitte … Ich meine, du kannst gern bleiben, wenn du möchtest. Du kannst den Caravan stehen lassen und ihn benutzen, wann immer du willst.«

»Bist du sicher?«

»Ja, absolut. Gern. Es ist gut, dich hier zu haben.«

»Dann bleibe ich gern. Zu Hause wird es manchmal ein bisschen eng. Aber jetzt gehe ich lieber nach Hause, um zu sagen, was Sache ist. Okay mit dir?«

»Ja, klar. Ich werde mich schon eingewöhnen.«

Sie lächelte und wandte sich zur Tür. Ich sah ihr nach, bis sie hinter der Ecke verschwunden war. In der plötzlichen Stille empfand ich wieder eine drohende Niedergeschlagenheit, aber ich zwang meine Gedanken in eine andere Richtung – was konnte ich mit dem Cottage anstellen? Was musste ich als Erstes tun?

Ich musste einen Fachmann finden, der sich die Statik ansah und die Wasser- und Elektroinstallationen überprüfte, und wenn das geklärt war, konnte ich mich der interessanteren Aufgabe widmen – wie wurde das Cottage zu meinem neuen Zuhause?

Bis auf die äußere Struktur würde ich alles ändern wollen. Alles, was mich an Granny erinnerte, musste weg, sonst würde ich nur Trübsal blasen, und das brachte nichts.

Die Küche würde meine erste Aufgabe sein. Holz und Kacheln, um die Atmosphäre zu erhalten, dunkle Farben, denn das breite Südfenster bescherte helles Licht. Darüber hinaus musste alles funktional sein, wenn ich meine Ideen verwirklichen wollte. Die Waschmaschine musste ich noch irgendwie unterbringen, damit ich die Spülküche als zusätzlichen Vorratsraum nutzen konnte. Der Vorratsraum selbst war so kühl wie ein Keller.

Im Bad würden die Veränderungen nicht so leicht sein. Mir gefiel die gewaltige Wanne, aber der Rest war schlicht und verschlissen. Ich müsste die Wanne in die Mitte stellen, eine Dusche einbauen und die Wände höher fliesen. Das Fenster musste an der Wand bleiben, denn es zeigte zum Garten.

Im Schlafzimmer konnte ich mich austoben. Grannys Bett war ein altes Eisengestell, und selbst sie würde nichts dagegen haben, dass es verschwand. Ich würde mir ein schönes Himmelbett kaufen, komplett mit Baldachin und natürlichen Fasern. Der Kleiderschrank war gut erhalten, und nach einem kurzen Zögern fand ich, dass ich ihn behalten konnte. Und der Wandschirm musste bleiben, er war viel zu fein, um ihn aus meiner Erinnerung zu entfernen.

Ich würde ihn sogar gern nutzen, nicht um meine Keuschheit neu zu beleben, sondern um einen Liebhaber zu locken, der im Bett auf mich wartete, während ich mich noch ein wenig hinter dem Schirm zierte.

Nostalgie ist was Schönes, aber im Wohnzimmer sollte es modern und gemütlich sein. Ich mochte nicht ohne Filme, Musik und Internet leben, also brauchte ich eine große Anlage, die ich absenken konnte, wenn ich meine Ruhe haben wollte.

Die kleine Eingangshalle konnte eigentlich so bleiben, wie sie war; sie passte sich an alles an, an jeden Stil, an jeden Bewohner. Neu streichen oder tapezieren, mehr war nicht erforderlich.

Ich musste daran denken, dass ich keinen Führerschein hatte. Und natürlich auch kein Auto. Außer Emma kannte ich kaum jemanden im Dorf. Meine Eltern wohnten in Manchester, etwa einhundertfünfzig Meilen entfernt.

Nun, ich würde hier mein neues Leben aufbauen, und ich musste so schnell wie möglich mit meinem alten Leben brechen. Dad half mir, am Wochenende meine Sachen nach Berkshire zu bringen.

Drittes Kapitel

Die folgenden Wochen waren Chaos. Ich war in London, Newbury, Oxford, Reading, Bristol und Manchester, ich suchte Auktionen, Märkte und Trödel heim. Stundenlang studierte ich die Angebote im Internet. Ich suchte alles, vom Thermometer, das die Temperatur des Rinderbratens nahm bis zur geeigneten Wohnzimmergarnitur. Nie hatte ich mich vorher so oft in Geschäften herumgeschlagen, und noch nie hatte ich beim Einkaufen so viel Spaß.

Es war unvermeidlich, dass ich einige Male abgelenkt wurde und Dinge kaufte, die ich eigentlich gar nicht hatte kaufen wollen, ob es sich nun um eine Kiste mit alten Marey-Monges handelte, um einen frühen Druck von Beardsley (Jüngling mit schwarzen Haaren und einem Gemächt, das jeden Elefanten beschämt hätte) oder um wunderschöne viktorianische Stoffe mit edlen Baumwollspitzen. Aber sonst deckte ich mich mit allen Vorräten ein, die ich brauchte.

Aus dem Wohnzimmer hätte ich gut und gern ein kleines Restaurant gestalten können. In meiner Vorstellung räucherten die Schinken schon im Kamin, ich sah die Fasane schon in der Vorratskammer. Ich saß bei einem Glas Apfelwein, den ich in einem Pub in Bristol probiert und dann mit zur Bevorratung genommen hatte. Ich war stolz darauf, dass ich den alten Brotofen zu neuem Leben erweckt hatte, obwohl er schon seit Jahrzehnten nicht mehr funktionstüchtig gewesen war.

Im Schlafzimmer entschied ich mich für dunkles Holz und blasse Stoffe; viele Meter Musselin und Leinen und grob gewebte Wolle, die prächtige Effekte schufen. Der Beardsley war das einzige Bild und trug zur schwülen Erotik des Schlafzimmers bei.

Der Höhepunkt freilich war das Bett. Ein großes Ding, zwei Meter zehn breit und zwei Meter lang, 1880 ursprünglich für einen Bürgermeister aus Leeds hergestellt. Die Pfosten waren schlanke Statuen, wahrscheinlich sollten sie die Göttinnen Hera, Athene, Artemis und Aphrodite darstellen. Auf Kopf- und Fußbrettern setzten sich die heidnischen griechischen Motive fort, kunstvoll geschnitzte Szenen mit Trauben, Blättern, Faunen, Nymphen und grinsenden Koboldgesichtern. Es war ein prachtvolles Möbelstück, durch und durch dekadent, der perfekte Ort, um Liebe zu machen, ideal für das Tier im Mann.

Es gab ein Haar in der Suppe. Seit meiner kurzen Begegnung mit Teo hatte ich keine Form von Sex mehr gehabt. Und davor hatte es auch nicht viel Sex für mich gegeben, nicht seit dem College. Ich war einfach zu beschäftigt gewesen, um mich mit Männern abgeben zu wollen, und Gabriel Blanes unerwünschte Nachstellungen und der Tod meiner Granny hatten auch nicht geholfen, ebenso wenig die Wohngemeinschaft mit den anderen Frauen, denn jeder Jauchzer und selbst das kleinste Quietschen stießen auf die Ohren von hellhörigen Mitbewohnern.

Natürlich kann es sexy sein, sich was zu trauen, aber wenn Freunde in Hörweite sind, die aus ihrem Missfallen keinen Hehl machen, dann lässt man es lieber bleiben. Nun ja, Missfallen ist vielleicht ein zu starkes Wort. Chloe nahm es ganz lässig, und Sarah hatte einen festen Freund, aber Maggie und Heather hatten schon stirnrunzelnd wissen lassen, dass sie ungehemmtes Bumsen für niveaulos hielten, völlig unangemessen für Frauen, die ihren eigenen Weg gehen wollten. Ich unterstellte, dass auch Roberta entsetzt gewesen wäre, aber ich war nicht lange genug geblieben, um das herauszufinden.

Im College war es ganz anders gewesen. Wir waren über vierhundert Studenten. Viele Partys, viel Sex. Kein Wochenende ohne Mann. Die meisten teilten meine Ansicht, dass man nur für den Tag lebte, und die wenigen, die klammern wollten, verstanden sehr bald, dass ich nicht bereit war, mich irgendwem anzuschließen.

Aber jetzt hatte ich es mit einer ganz anderen Situation zu tun. Ich wollte jemanden, auf den ich mich verlassen konnte, ohne dafür die Kontrolle über mich abzugeben. Viele Möglichkeiten hatte ich nicht. Die einzigen Männer, die ich sah, waren die Verkäufer in den Geschäften – und Emmas Brüder. Luke war verheiratet, und Mark und Danny hatten feste Freundinnen.

Sex mochte ein Problem sein, aber Freundschaft nicht. Emma war ein Schatz. Von Anfang an schloss sie sich mir an und war meine Fahrerin, Handlangerin und Einkaufsgehilfin, ganz zu schweigen davon, dass sie meine Gärtnerin war und sich um Ziegen und Hühner kümmerte. Es war, als hätte ich sie mein ganzes Leben schon gekannt, und irgendwie stimmte das ja auch.

Der einzige Nachteil ihrer Gesellschaft bestand darin, dass sie zu meiner sexuellen Frustration beitrug. Sie hatte einen Freund namens Ray, ein Riese von Mann und Hände wie Schaufeln. Er arbeitete auf dem Bauernhof, ein scheuer Kerl, hingerissen von Emma.

Aus Gründen, die ich noch nicht durchschaut hatte, wollte sie ihrem Vater gegenüber geheim halten, wie fortgeschritten ihr Verhältnis mit Ray gediehen war, und als sie mich fragte, ob sie sich mit ihm im Caravan treffen könnte, brachte ich es nicht übers Herz, ihr das zu verweigern.

Natürlich hatte ich absolut nichts dagegen, aber Himmel, waren sie laut. Sie kicherte viel, und wenn es ihr kam, dann hörte sie sich wie ein Wurf Ferkel an, die alle gleichzeitig säugen wollten. Von Ray war nur ein gelegentliches Grunzen zu hören. Wenn ich ihnen lauschte, wurde ich ganz feucht zwischen den Beinen, was mir gar nicht behagte, denn ich hatte ja niemanden zum Spielen.

Mitte Oktober zog ich offiziell ins Cottage ein, und ich feierte den Anlass mit einer Flasche Romanée St. Vivant. Ich hatte inzwischen schon fünfzigtausend Pfund ausgegeben, viel mehr, als ich eigentlich beabsichtigt hatte, aber jeder Penny war es wert gewesen. Ich hatte mein eigenes Zuhause geschaffen, und es war genau so, wie ich es mir erträumt hatte, ohne jedes Zugeständnis an die Mode.

Emma brachte mir zwei der umkämpften Fasane mit, die einer ihrer Brüder geschossen hatte, und ich bot ihr ein Glas Wein an. Sie sah ein wenig verdutzt drein, wie die meisten Menschen, wenn sie das erste Mal wirklich gereiften Burgunder trinken. Sie schnüffelte einige Male, nippte noch einmal skeptisch und sah mich an.

»Ist der in Ordnung?«

»Er ist vollkommen.«

»Aber er stinkt nach Fäkalien.«

Ich musste lachen, denn unser Weinlehrer hatte von ›Bauernhofgerüchen‹ gesprochen, von ›erdig‹ und ›*sous bois*‹. So ganz stimmte es natürlich nicht, denn das Bouquet überlagerte den Geruch, aber ich hatte Verständnis für Emma – sie hatte ihre ehrliche Meinung gesagt.

»Neunzehnhundertsechsundsiebzig«, las sie vom Etikett. »Verdammt, der ist wahrscheinlich schweineteuer.«

»Für die Kiste habe ich neunfünfzig auf einer Versteigerung bezahlt.«

»Neun Pfund fünfzig für zwölf Flaschen?«

»Neunhundertfünfzig. Das war ein guter Preis.«

Sie antwortete nicht, schnüffelte noch mal und verzog das Gesicht. Wir standen in der kleinen Eingangshalle, und sie ging zur Tür und kippte das Glas.

»He, verschwende den guten Wein nicht!«

»Tue ich doch nicht.«

Sie kippte das Glas noch ein wenig mehr und ließ ein paar Spritzer auf den breiten Stein am Eingang fallen. Dann führte sie das Glas in einer beinahe feierlichen Geste an die Lippen.

»Das musst du tun, sonst bringt das Haus dir kein Glück«, erklärte sie, »und dafür braucht man schon einen edlen Tropfen, sonst funktioniert es nicht.«

Alter heidnischer Brauch, dachte ich und wollte mich gleich anschließen. So ein Trankopfer passte zu meinem Cottage, mir und dem Haus angemessen. Ich trat neben sie, ließ ein paar Tropfen fallen, dann noch mal, und in einem Anflug heidnischen Übermuts fast das ganze Glas.

Den Rest ließ ich in meinen Mund laufen, um die Vielfalt des Geschmacks zu kosten. Der rote Saft lief über die Zunge und benetzte die Wangen. Ein wunderbares Aroma, das im Einklang mit meiner ganzen Umgebung stand. Der Geruch des Herbstes verstärkte sich. Die Sonne versank langsam hinter den Wäldern und warf ein üppiges goldenes Licht über den Garten, während die Schatten der Bäume auf uns zu krochen.

Selbst Emmas Caravan schien in dieses Bild zu passen, und für einen magischen Moment war alles vollkommen – ich in der frühen Herbstdämmerung, vor meinem eigenen Cottage, im Mund der Geschmack eines guten Weins. Das Trankopfer gehörte auch zum Zauber, ein Angebot an den Geist, der diesen Tag so perfekt ausklingen ließ.

Emma war zurück ins Haus gegangen, als hätte sich nichts Ungewöhnliches zugetragen, und wechselte das Thema.

»Wenn du Schweine halten willst, musst du einen Stall für sie bauen. Du brauchst eine Genehmigung dafür, weil es bisher keine anderen Gebäude auf deinem Grundstück gibt. Sie schicken irgendeinen Typen heraus, der kontrollieren wird, ob du dich an die Vorschriften gehalten hast.«

»Oh.«

»Dad kann dir helfen, aber es kann sein, dass du in Schwierigkeiten gerätst. Paxham-Jennings wird Einspruch einlegen.«

»Warum?«

»Schweine stinken, und sie sind laut. Du musst einen Ort für die Futtervorräte bauen, eine Drainage für die Gülle anlegen und lauter solche Sachen.«

»Ich will doch nur ein paar Tiere. Können sie sich ihr Futter nicht selbst suchen? Unten am Ende des Grundstücks steht die große Eiche, die ernährt die Schweine fast schon allein, und dann will ich noch ein paar Apfelbäume setzen.«

»Du musst trotzdem die Vorschriften beachten, es sei denn, du erklärst die Schweine zu Haustieren, dann sind die Auflagen nicht so streng. Ich werde Dad bitten, sich mal schlau zu machen.«

»Danke.«

Ich selbst hatte keinen Gedanken an Vorschriften verschwendet. Ich dachte, auf meinem Grundstück könnte ich mehr oder weniger tun, was mir gerade in den Sinn kam. Aber ein illegaler Schweinestall würde sich wohl nicht lange verheimlichen lassen.

Ich füllte unsere Gläser und wandte mich wieder dem Wein zu. Er war immer noch gut, aber der Zauber schien verloren. Es gab einen Teufel in meinem Paradies, einen Wurm in meinem Apfel, ein kleiner Mann mit einem Buch voller Vorschriften.

»Du hast nichts dagegen, wenn Ray heute Abend wieder zu mir kommt?«, fragte Emma.

Ich dachte an den Ferkelwurf. »Natürlich nicht.«

»Wir wollen vorher zur Royal Oak gehen. Hast du Lust mitzugehen?«

Ich dachte darüber nach. Trinken und lachen und vielleicht einer von Rays Freunden. Dann dachte ich an Zigarettenrauch, den Geschmack von schalem Bier und an eine kurze Nummer, mit der mir nicht geholfen war – und mit der ich auch nicht mein wunderbares Bett einweihen wollte. Nein, ich war nicht in Stimmung.

»Ein anderes Mal, danke.«

»Okay. Bis später.«

Sie trank den Rest in ihrem Glas, und weg war sie. Auch das gefiel mir an Emma. Sie regte sich nicht darüber auf, dass ich nicht immer bei ihr sein wollte, und sie erwartete auch nicht, dass ich die Dinge liebte, die ihr wichtig waren. Sie akzeptierte lieber, was wir gemeinsam hatten.

Ich setzte mich unters Vordach, die Flasche neben mir, und schenkte dem Wein die Beachtung, die er verdiente, nachdem er mehr Jahre in der Flasche gereift als ich auf der Erde war. Ich ließ mir Zeit, genoss sein Aroma und jeden kleinen Schluck, aber schon bald war sein Geruch verweht, weil die Luft ihre unvermeidliche Wirkung ausübte.

Der letzte Schluck aus dem letzten Glas, dann ein kurzes Umstülpen, damit die letzten Tropfen dem Trankopfer geweiht wurden, dann erhob ich mich. Ein wenig schwankte ich, was mich nach einer guten Dreiviertelflasche nicht wundern durfte. Mein Gefühl der Unzufriedenheit war verflogen und durch eine träge Zufriedenheit ersetzt, vermengt mit einem Anflug von Trotz und Tollkühnheit.

Ein Spaziergang würde meine Gehirnzellen durchpusten, und dabei konnte ich mich ein bisschen mehr meiner neuen Umgebung annehmen, was ich bisher vernachlässigt hatte. Außerdem wollte ich nachdenken.

Ich nahm den Pfad, aber nicht zur Straße und Bourne Farm im Tal, sondern den Weg am Garten vorbei, wo der Wald an mein Grundstück grenzte. Es war ein öffentlicher Weg, trotz all der Schilder PRIVAT und ZUGANG VERBOTEN zu beiden Seiten; er führte über die Autobahn, an Alderhouse vorbei und ins nächste Tal. Da gab es auch einen Pub, und ich fragte mich, ob sie dort etwas zu essen anboten.

Wenn ich dem Weg bis ins nächste Tal folgte, würde ich im Dunkeln zurückgehen müssen. Egal. Der Himmel war klar, und der Mond zeigte sich als strahlende Sichel. Es ging mir viel zu gut, um mich vor irgendwas zu sorgen, ich schritt auf meinem englischen Land aus, trunken, warm und glücklich, und mein einziges Problem war, dass ich nicht wusste, was es zum Essen gab.

Die Sache mit den Schweinen war nicht wirklich ein Problem. Mir schwante, dass ich die Tiere ohnehin nicht schlachten konnte, wenn ich mich erst einmal an sie gewöhnt hatte. Harriet und Hillary hätte ich auch nicht töten können, und ich wusste, dass Schweine nicht weniger intelligent sind als Ziegen. Ich konnte andere Dinge, viele andere Dinge, aber nicht so etwas.

Ich blieb stehen. Es war nicht das letzte Mal, dass ich diesen Weg gegangen war, um mich bei Mr. Paxham-Jennings zu entschuldigen, das war vielleicht das vorletzte oder drittletzte Mal gewesen. Ich konnte mich noch genau erinnern, und jetzt hatte ich genau die Stelle erreicht, an der ich den Weg verlassen und die Glockenblumen gepflückt hatte.

Damals hatte es an der Stelle eine schmale Fahrspur in den Wald gegeben, aber jetzt war alles überwuchert. Die Traktorenspuren waren noch schwach zu sehen, aber tief im Gras. Eine umgekippte Silberbirke lag im Weg.

Das Schild ZUGANG VERBOTEN war keines der neuen, sondern ein ganz altes, vielleicht exakt jenes, das ich vor vielen Jahren ignoriert hatte. Die Farbe war abgesprungen, und ein rostiger Nagel hatte sich gelöst, sodass es schief am Buchenstamm hing.

Ich starrte wie gebannt auf die noch schwach erkennbare Spur und musste an das Erlebnis vor vielen Jahren denken. Ich hatte damals Jeans getragen, ein weites T-Shirt und Turnschuhe. Meine Haare waren kurz und schmuddelig gewesen. Mum hatte gesagt, ich wäre in meiner Wildfangphase, während ich mich selbst als Rebellin sah. Die anderen Mädchen in der Klasse waren

Fans von New Kids on the Block. Ich wusste nicht, worauf ich stand, aber nicht darauf.

Granny hatte mich zwar gezwungen, mich zu entschuldigen, aber das war nicht freiwillig geschehen, und ernst gemeint war es auch nicht. Selbst jetzt noch empfand ich einen bitteren Geschmack im Mund, wenn ich daran dachte. Verdammt, ich hatte nur ein paar wilde Blumen gepflückt, ein paar von Millionen. Gut, heute würde ich sie stehen lassen, weil ich daran glaubte, von der Natur nur das zu nehmen, was ich unbedingt brauchte.

Aber damals hatte ich eben geglaubt, die Glockenblumen zu brauchen. Himmel, ich hatte doch nicht ganze Felder abgeräumt und die Ernte verkauft! Außerdem war ich gerade mal elf Jahre alt gewesen.

Die Verlockung, den Wald zu betreten, war ungeheuer stark. Das Schild sollte mich fern halten, aber einige Buchstaben waren abgeblättert, also konnte ich die Warnung gar nicht entziffern. Betrunken, wie ich war, reichte mir dieser Vorwand, angetrieben von purer Nostalgie.

Ich wollte die Stelle mit den Glockenblumen wieder finden und auch andere Orte, an die ich mich erinnerte. Da musste es noch die gewaltige Buche geben, in die meine Vettern ihre Initialen geritzt hatten, oder den Teich mit den vielen Mücken, und natürlich das Gebiet, das mit Drähten abgesperrt war. Dort wurden die Fasane gehalten – eine ständige Herausforderung für mich.

Alles war noch da, alles auf einem Gebiet von einer Viertelmeile. Teufel, ich wollte mich von einer Horde blasierter Landbesitzer nicht einschränken lassen. Das Grundstück war riesig, und ich wollte niemandem

Schaden zufügen, jedenfalls nicht im Vergleich zu dem, den sie auf ihren Jagden anrichteten.

Ich stand einen Moment ganz still und lauschte, sah den Weg hinauf und hinunter und schritt dann entschlossen auf die Spur zu und in den Wald. Unter meinen Füßen war es matschig, und ich versuchte, auf Zweige zu treten, um Schuhabdrücke zu vermeiden. Aber und zu konnte ich mich von einem Baum zum anderen hangeln, diese Technik hatte ich von Vetter John abgeschaut.

Das Unterholz war dichter, als ich es in Erinnerung hatte, und bald musste ich erkennen, dass ich die Stelle mit den Glockenblumen schon verpasst hatte. Es mochte auch sein, dass die Zeit der Glockenblumen längst vorbei war. Der Teich musste weiter entfernt sein, denn ich erinnerte mich, dass ich von dort durch die Bäume auf die Autobahn hatte blicken können, während ich jetzt den Verkehr nur als dumpfes Brummen hörte.

Plötzlich sah ich den Baum vor mir, die Initialen als grüne Vertiefung noch erkennbar. Ich biss mir auf die Lippen. Meine vom Alkohol aufgepeitschten Nerven brachten die Erinnerung zurück. Es war ein zauberischer Ort, und als ich direkt vor der Buche stand, fiel mir auf, dass nach uns noch jemand da gewesen war. Ich sah einen kurzen Marmorpfeiler, grün von Algen wie der Baumstamm. Auf dem Pfeiler lag eine frische Weinrebe.

Meine erste Reaktion war Entsetzen, und schuldbewusst sah ich mich um. Niemand weit und breit zu sehen. Ich trat zögernd auf den Marmorpfeiler zu. Die Trauben waren dick und rot und reif. Kein Vogel hatte daran gepickt, also mussten sie erst ganz kurz da liegen.

Ich spürte ein berauschendes Kribbeln, eine totale Faszination – was hatten die Trauben zu bedeuten?

Ich konnte mir vorstellen, dass sie auch eine Art Opfer waren, ganz sicher ein Ritual, und ganz bestimmt kein christliches. Natürlich musste ich an Emma und ihr Trankopfer denken. Es gab offenbar mehr Menschen hier auf dem Land, die ein Gefühl für heidnische Bräuche entwickelten.

Entzückt von meiner Entdeckung und voller seltsamer Emotionen zog ich weiter. Ich wollte mehr entdecken, vielleicht sogar den geheimnisvollen Traubenspender ausfindig machen. Wenn ich noch einmal so tief in den Wald eindrang, würde ich zum eingezäunten Fasanengehege stoßen. Natürlich war ich nervös, aber das beeinflusste meine Entschlossenheit nicht.

Ohne den Wein hätte ich nicht den Mut gehabt, glaube ich. Emma hatte mich vor dem Wildhüter gewarnt, aber er würde einer erwachsenen Frau doch keine Gewalt antun, oder? Ich hoffte, dass mir die Konfrontation mit diesem Kerl erspart blieb.

Vorsichtig bewegte ich mich weiter, geduckt, verängstigt. Alle paar Meter blieb ich stehen und lauschte. Als ein Fasan über mir zu schreien begann, zuckte ich zusammen. Nach ein paar weiteren Metern konnte ich das Lärmen anderer Vögel hören. Ich bewegte mich immer langsamer und vorsichtiger und blieb schließlich stehen, denn vor mir hatte sich ein Baumstamm in meinen Weg gelegt.

Dahinter sah ich schwarzen Schlamm und verrottende Blätter und überall Reifenspuren, wo Fahrzeuge gewendet hatten. Eine dicke Eiche warf dunkle Schatten über niedriges Buschwerk. Ich ging langsam darauf zu, während meine Augen nie still standen.

Alles hatte sich verändert. Das Gehege war ein baufälliges Konstrukt gewesen; eher ein Maschendrahtverhau mit einigen Dellen und undichten Stellen. Das neue Gehege war viel größer und höher, der Zaun war engmaschig und wurde von mindestens drei Meter hohen Stahlpfosten gehalten. Auf den ersten Blick sah es so aus, als müssten sich hinter einem solchen Zaun Baracken der Armee oder ein Gefängnis befinden.

Es gab auch mehrere neue Futteranlagen, nur ein Gegenstand war unverändert geblieben – der alte Caravan. Er war nur halb so groß wie Emmas und über und über mit grünen Algen bedeckt.

Wir hatten früher gedacht, dass der Wildhüter in dem Caravan lebte, um sich die Leute zu schnappen, die trotz Verbots den Wald betraten. Es war eine große Enttäuschung für uns, als wir damals herausfanden, dass der Caravan als Aufbewahrungsort für Futter und Material diente. John und ich hatten uns getraut, in den Caravan einzubrechen, alles andere als eine Selbstverständlichkeit, denn in unseren Köpfen hatten wir uns ausgemalt, die Vorhölle zu betreten.

Um die Enttäuschung zu überspielen, hatte ich den anderen erzählt, wir hätten eine blutige Machete und einen abgetrennten Kopf im Caravan gefunden. Ihr hättet mal sehen sollen, wie schnell sie zurück zum Cottage gerannt waren.

Ich musste über meine Erinnerung lächeln und wollte mich auf den Rückweg begeben – Erkundung abgeschlossen –, als die Caravantür aufgestoßen wurde und ein Mann heraustrat. Mir stockte der Atem, ein gewaltiger Adrenalinstoß warf mich fast um, ich griff mit einer Hand ans Herz, das hart bis in meinen Hals klopfte.

Er blickte in meine Richtung. Sobald ich mich bewegte, würde er mich sehen. Ich beugte den Kopf und legte den Mantelkragen vors Gesicht, dann ging ich im Schatten der dicken Eiche langsam in die Hocke. Ich traute mich kaum zu atmen und schaute mir den Mann genau an.

Er trug schmutzige Stiefel, Jeans, ein kariertes Hemd und eine alte Tweedjacke. Er war groß, etwa einsneunzig, und muskulös auf eine Weise, die meine schlanken Fitnessstudiofreunde nie erreichen würden, und niemand von ihnen strahlte auch diese derbe Männlichkeit aus. Selbst Teo – von Gabriel Blane ganz zu schweigen – nahm sich neben ihm wie ein Hund neben einem Wolf aus.

Das musste Marsh sein, Mr. Marsh, wie Emma immer sagte. Ich kannte seinen Vornamen nicht. Toby Paxham-Jennings war ganz sicher nicht so groß und auch nicht so breit. Natürlich war es möglich, dass es noch andere Wildhüter gab, aber dieser Mann da vor mir war ganz sicher der Anführer seiner Gruppe.

Alles an ihm ließ Macht und Selbstsicherheit erkennen, die dicken Muskeln, die bewussten Schritte, der entschlossene Zug ums Kinn, die großen Hände. Und nicht zu übersehen, seine Hose war ganz schön ausgebeult, und es fiel mir schwer, nicht auf diese Stelle zu starren. Es ließ sich nicht leugnen, dass er mein Typ von Mann war, und als ich mir vorstellte, wie es sich in seinen Armen anfühlte, rieselte es mir heiß und kalt über den Rücken.

Er war jünger, als ich nach Emmas Beschreibung erwartet hatte, dreißig, höchstens fünfunddreißig. Seine Haare waren wuschelig, eine dichte schwarze Mähne, und die Wangen lagen im Schatten der dunklen Stoppeln. Er war eine derbe Erscheinung, so rau, dass ich mich unwillkürlich noch verletzlicher fühlte. Aber er hatte keinen Hund bei sich, und wenn ich mich mucksmäuschenstill verhielt, gab es keinen Grund, warum er mich entdecken sollte.

In seiner Hand hielt er ein seltsames Gerät, vielleicht ein Pfosten für einen elektrischen Zaun, aber eine Art Zylinder war an dem Stab befestigt. Er drückte ihn neben einem Baum in den Boden und rammte ihn mit der Kraft seiner breiten Hände tiefer hinein.

Erst als er eine Patrone in den Zylinder steckte, erkannte ich, um welches Gerät es sich handelte – es war eine Falle. Eine Art Angelschnur, die über den Pfad gespannt war, bestätigte meine Vermutung. Wenn jemand nachts den Pfad entlangging, stieß er gegen die Schnur, die mit dem Gewicht an dem Metallpfosten verbunden war. Das Gewicht fiel hinab und löste den Schuss aus – die Patrone würde sich in den Boden bohren und keinen Schaden anrichten, aber durch die Explosion würde Marsh aufwachen, und der Eindringling würde sich vor Angst in die Hose machen.

Trotz meines Unbehagens fühlte ich wieder die sexuelle Erregung von eben, als ich ihm beim Arbeiten zusah. Nicht, dass ich die geringste Neigung verspürte, mich ihm zu nähern, nicht zu seinen Bedingungen und auf seinem Grund. Es war leicht, sich vorzustellen, dass er mehr verlangen würde, als ich zu geben bereit war, und er hatte mir schon einen gehörigen Schrecken eingejagt. Mein Herz pochte in meinem Mund, aber besser das als sein Schwanz. Oder? Vielleicht war es genau das, was ich brauchte.

Ich biss mir zaudernd auf die Unterlippe und überlegte, ob ich einfach auf ihn zugehen und mich vorstellen sollte. Ich könnte ja behaupten, ein Freund von Toby Paxham-Jennings zu sein. Das würde ihn veranlassen, seinen Prügel in der Hose zu behalten, wenn ich beschloss, ihn doch nicht zu wollen, und wenn ich ihn wollte …

Wenn ich ihn wollte, würde es auf harten Sex in seinem Caravan hinauslaufen, auf den Futtersäcken oder über einen kleinen Tisch gebeugt, meinen Po in die Luft gestreckt. Ja, ich gierte nach Befriedigung – mehr, als ich mir bisher eingestanden hatte.

Ich brachte es nicht fertig. Sonst bin ich ziemlich dreist, glaube ich, aber irgendwie fand ich es nicht passend, sich so aufzuführen. Nicht hier, nicht jetzt. Ich wartete also, bis er seine Wildererfalle aufgebaut hatte, und sobald er wieder im Caravan verschwunden war, verzog ich mich ins dichte Unterholz. Minuten später befand ich mich wieder auf dem Pfad und lächelte still vor mich hin.

Die Dämmerung schritt fort; die Sonne versank hinter den Bäumen, und ich machte mich auf den Weg zum Pub, um etwas anderes zu essen als die Omelettes, ganz egal, wie köstlich sie waren.

Jetzt fand ich es albern, dass ich nicht mit Marsh gesprochen hatte. Ich hätte meinen Emotionen folgen sollen. Meistens ist das mein Ding, aber manchmal meine ich, es wäre Zeit für eine rationale Entscheidung, ganz egal, was mein Körper mir sagt. Wenn dir zum Beispiel der gut aussehende Freund deiner besten Freundin Avancen macht, weißt du, dass nicht dein Körper zu entscheiden hat, sondern dein Verstand. Aber bei Marsh hätte ich auf meinen Körper hören sollen.

Die Situation hatte was Animalisches gehabt, was Primitives. Nicht nur wegen der Umgebung, sondern auch wegen Marsh, der was Animalisches an sich hatte. Jetzt wunderte ich mich, dass ich in ihm den Anführer gesehen hatte. Stimmte doch gar nicht. Er war Angestellter und hatte zu tun, was man ihm sagte. Donald Paxham-Jennings oder Toby oder vielleicht sogar ein Verwalter sagten ihm, wo es langging.

Ich nehme an, eine Frau will in ihrem Partner, den sie erwählt hat, die dominante Figur sehen. Aber nicht Marsh war die dominante Figur, sondern Donald Paxham-Jennings. Die Paxham-Jennings' dieser Erde hatten die Führungsrolle inne, weil ihnen das Land gehörte.

Marsh könnte auch der Typ sein, der die Weinrebe auf den Marmorpfeiler gelegt hatte. Ich konnte ihn in der Kirche aus voller Brust singen hören und dann sehen, wie er hinaus in den Wald ging und auf seinem heidnischen Altar ein Opfer niederlegte, ohne sich des Widerspruchs überhaupt bewusst zu sein. Viele solcher Widersprüche wurden oft als Aberglaube beschrieben, aber ich hielt sie eher für den Ausdruck echter Ehrfurcht vor der Natur.

Alles in allem war es ein seltsames, leicht beängstigendes, aber in erster Linie erfrischendes Erlebnis gewesen. Ich befand mich in gehobener Stimmung und erwartete, dass sie bald verflog, wenn ich den Lärm von der Autobahn hörte, aber dann sah ich das Teerband in das flüssige Gold der untergehenden Sonne getaucht, und dieses Bild begleitete mich auf dem ganzen Weg und festigte mein Gefühl, völlig abgehoben zu sein, getrennt vom Rest der Welt.

Alderhouse mit der großartigen Fassade aus dem frühen neunzehnten Jahrhundert und den hohen beleuchteten Fenstern verstärkte das erhabene Gefühl noch, aber der Pub brachte mich mit einem Ruck wieder mit beiden Beinen auf die Erde zurück.

Ich hatte mir eine urige Kneipe vorgestellt und alte rotgesichtige Männer mit zotteligen Kinnbärten gesehen, die ihren Apfelwein aus zünftigen Humpen trinken. Aber was ich sah, war eine helle, moderne Bar mit Glücksspielgeräten und einem Videospiel.

Ihr Essensangebot beschränkte sich auf Scampi und Fritten, beides garantiert aus der Tiefkühltruhe, während ihre Weinkarte mehrere verschwefelte Tropfen aus dem Central Valley auflistete; nicht mal als Mundwasser zu gebrauchen. So was wollte ich nicht in mich hineinschütten.

Also ging ich weiter, ohne kaum mehr als eine vage Vorstellung zu haben, wohin ich ging. Nach etwa einer Meile erreichte ich ein Dorf mit dem Namen Ilsenden, von dem ich schon gehört hatte, wo ich aber noch nie gewesen war. Der Pub erwies sich als eine deutliche Verbesserung, ich entschied mich für eine Wildentenbrust in einer Sauce aus verschiedenen Früchten. Dazu gehörte auch ein fruchtiges Getränk, also wählte ich einen Barossa Valley Shiraz. Perfekt zur intensiven Sauce und dem kräftigen Geflügelgeschmack. Ich war froh, dass ich eine ganze Flasche bestellt hatte; es wäre kriminell gewesen, einen Rest in der Flasche zu lassen, also begab ich mich mit vollem Bauch und wirbelndem Kopf auf den Heimweg.

Bis zum Cottage waren es zwei, vielleicht drei Meilen. Es war längst dunkel geworden, aber der Mond war aufgestiegen, deshalb spürte ich kein Unbehagen, allein unterwegs zu sein. Ich hatte den Spaziergang an der frischen kühlen Luft dringend nötig, sagte ich mir.

Zuerst nervten mich die Autos, die mir entgegenkamen und mich blendeten, und manchmal musste ich mich in eine Hecke drücken, um nicht erfasst zu werden. Aber nachdem ich die Abkürzung erreicht hatte, ging es besser, und ich fühlte mich glücklich und geil.

Ich musste wieder an Marsh denken und wie es hätte sein können – rau und leidenschaftlich, derb und animalisch. Er war so groß und stark, dass er mich im Stehen auf sich heben könnte. Mein Körper wäre ein Spielzeug in seinen Händen gewesen. Aber wir hätten nicht lange gespielt und gezaudert, wir hätten nicht gefragt, was wir dürfen und was nicht, wir hätten nur guten, harten Sex gehabt.

Wäre er mir jetzt über den Weg gelaufen, hätte ich sofort verlangt, von ihm genommen zu werden, an Ort und Stelle, direkt im Matsch. Ich hätte mich über ihn geworfen und ihn geritten, sein Stab tief in mir.

Ich blieb einen Moment stehen, griff mit der Hand unter den Mantel und strich durch die Jeans über die geschwollenen Lippen meiner Pussy. Ich war nass, meine Nippel hatten sich versteift und aufgerichtet. Am liebsten hätte ich mich in diesem Moment zum Orgasmus gebracht, aber das ferne Geräusch eines Autos hinderte mich daran.

Es waren Emma und Ray, nach dem Pubbesuch auf dem Weg zum Caravan. Aber das wusste ich erst, als ich die Schlussleuchten ihres Taxis auf den Weg zum Cottage einbiegen sah. Ich hörte Emma kichern, als ich das Gartentor öffnete, und meine Geilheit erhielt einen neuen Schub, als ich mir vorstellte, wie Emma sich an ihn schmiegte und mit zitternden Fingern den Penis aus seiner Hose holte.

In Wirklichkeit tat sie das nicht, aber was sie tat, wirkte nicht weniger schockierend auf mich. Der Bewegungsmelder unterm Vordach sprang an, deshalb sah ich sie deutlich vor mir, als ich in den Garten trat.

Emma hockte da, Slip unten, Rock oben, die Schenkel gespreizt, und erleichterte sich auf dem Rasen. Sie kicherte und schaute zu Ray hoch, der offenen Mundes zuschaute und die pochende Schwellung in seiner Hose drückte. Es war unmöglich, dass sie mich nicht sahen, aber sie schienen beide keine Hemmungen zu kennen.

»Hoppla! Hallo, Juliet! Entschuldige ...«

»Schon gut. Hallo, Ray.«

Er drehte sich zu mir um und grinste. Ich fummelte mit dem Schlüssel und ließ Emma Zeit, zu Ende zu kommen und sich abzutupfen. Ich ging noch nicht ins Haus und wollte ihr eine gute Nacht wünschen, wenn sie so weit war. Sie zog gerade ihren Slip hoch.

»Kommst du zu uns und trinkst einen Schluck mit? Wir haben ein paar Flaschen Bier mitgebracht.«

»Nein, ich lasse euch lieber allein. Ihr seht so aus, als müsstet ihr dringend allein sein.«

»Nee, überhaupt nicht. Ray, dieser Schmutzfink hier, hat mich schon auf dem Klo im Pub überrascht. Aber ich glaube, das hat ihm noch nicht genügt.«

Sie stieß ihm in die Rippen, und er reagierte mit einem scheuen Grinsen. Ich spürte, wie es in meinem Schoß zuckte, als ich mir vorstellte, wie Emma über dem Toilettensitz gebeugt stand, während Ray von hinten in sie eindrang. Ich brauchte es wirklich dringend und wusste, dass ich masturbieren würde. Aber vorher wollte ich mich noch etwas mehr betrinken.

»He, warum kommt ihr nicht zu mir? Ich öffne noch eine Flasche.«

»Ja, klar.«

Emma nahm Rays Arm und schleppte ihn in meine

Richtung. Er ließ sich bereitwillig führen, gehorsam wie ein träger Ochse. Ich ging ins Haus, schaltete Licht ein und stieß die Tür zum Wohnzimmer auf. Ich musste dringend zur Toilette und ließ sie allein, während ich mich erleichterte und meine zerzausten Haare ordnete. Ich öffnete eine Flasche Portwein und brachte ihn mit ein paar Gläsern ins Wohnzimmer.

Sie saßen auf dem Sofa, und Ray drückte Emmas Brüste durch das Top, die Bierflasche in der Hand. Als ich ins Zimmer trat, klopfte Emma ihm gutmütig auf die Finger. Sie nahm mein Glas mit Port an, dann setzte ich mich ihnen gegenüber, nervös, glücklich und geil. Aber ich fühlte mich auch ein bisschen unbehaglich, weil ich nicht wusste, was ich sagen sollte.

Wie gewöhnlich kannte Emma solche Probleme nicht. »Was hast du denn heute so angestellt, Nasehoch?«

Ich brauchte einen Moment, bis mir klar wurde, dass sie mich meinte, dann wurde ich knallrot. Meine Nippel drückten sich durch den Stoff meiner Bluse.

»Emma!«

Sie lachte nur und kuschelte sich enger an Ray. Ihre Augen leuchteten vor Übermut, der volle Mund war leicht geöffnet, und die Wangen waren rosig vom Alkohol. Ray saß gleichmütig da, die Bierflasche vorm Mund. Dann fiel sein Blick auf meinen Busen. Ob er glaubte, ich merkte das nicht?

Ich stellte mein Glas ab, nahm die Bluse in beide Hände und hob sie an, den BH gleich mit. Als meine Brüste frei schwangen, streckte ich meine Zunge heraus und ließ sie draußen, bis sie genug gestarrt hatten. Ray fielen die Augen aus dem Kopf, und Emma krümmte sich vor Lachen. Ich verhüllte mich wieder.

Emma nahm einen Schluck Port und drohte mir mit

dem Finger. »Böses Mädchen. Du bringst ihn nur auf Ideen.« Sie gab ihm einen Klaps auf die Oberschenkel.

»He, was habe ich denn getan?«

»Nichts, aber ich weiß, was du denkst.«

»Was denn?«

»Du denkst, wie es wohl sein würde, mit uns beiden im Bett zu sein, stimmt's? Ha, Männer!«

»Nein, stimmt nicht.«

Ich lachte. Es war lustig zu sehen, wie sich so ein Baum von Mann so leicht hoch nehmen ließ. Er akzeptierte Emmas Rippenstoß und beschäftigte sich dann wieder mit seinem Bier. Ich fragte mich, ob Emma Recht hatte – und ob sie ganz bewusst mit dem Thema begonnen hatte.

Sie ignorierte ihn und fuhr fort: »Sie sind alle gleich, nicht wahr? Jeder Kerl, mit dem ich gegangen bin, wollte, dass ich noch eine Freundin einbeziehe.«

»Und? Hast du?«

»Juliet!«

Ich lachte und freute mich, weil es mir gelungen war, sie in Verlegenheit zu bringen. So leicht sollte sie mir nicht entkommen, deshalb hakte ich nach. »Du hast nicht geantwortet – hast du?«

»Nein.«

»Nein?«

»Nein, habe ich nicht.« Aber sie war knallrot geworden.

»Die Lady wehret sich zu sehr, dünkt mir.«

»Eh?«

»Shakespeare. Hamlet.«

»Sie ist keine Lady«, sagte Ray und lachte laut auf.

Emma wandte sich ihm zu und versetzte ihm wieder einen Rippenstoß, aber diesmal härter.

»Autsch!«

»Den hast du verdient, du Schwein.«

Plötzlich balgten sie sich. Emma schlug ihn und zerrte an seinen Kleidern, während Ray nach ihrem Körper griff. Er hob sie hoch, als wäre sie leicht wie eine Feder, legte sie über eine Schulter und stand auf. Sie trat mit den Beinen um sich, schlug mit den Fäusten auf Rays Rücken und kreischte laut.

Ray sah mich an. »Zeit fürs Bett. Morgen muss ich früh raus. Gute Nacht.«

Damit drehte er sich um, duckte sich unter der Tür und bändigte die immer noch wild tretende und schlagende Emma mit einer Hand. Ich musste lachen und gab ihr einen Klaps auf den Kopf, bevor ich die Haustür hinter ihnen abschloss.

Als ich mich wieder setzte, hörte ich Emmas Kreischen, und gleich darauf begann sie zu kichern. Ich lächelte vor mich hin, vergnügt, aber nicht ganz neidfrei. Ganz offensichtlich trug Ray seine Emma in den Caravan, um ihr dort das zu geben, was ich so dringend brauchte.

Kurz nachdem ich mein Glas geleert und die Flasche zurück in die Küche getragen hatte, waren sie schon zugange. Der Caravan quietschte leise und bewegte sich hin und her. Es war unmöglich, nicht an sie zu denken, an seinen großen harten Körper auf ihrem, an ihre einladend geöffneten Schenkel. Oder vielleicht hatte sie sich über ihn geworfen, das würde zu der Art passen, wie sie ihn behandelt hatte.

Nein, das würde er nicht lange ertragen. Auf dem kleinen Bett würde er sich nicht wohl fühlen, und außerdem hatte ich gesehen, wie leicht er sich körperlich gegen sie durchsetzen konnte, wenn er es darauf anlegte. Vielleicht würde er sie übers Bett drücken und hinter ihr stehen, um dann tief in sie einzudringen, und fast hörte ich sie keuchen und schreien.

Ich schüttelte den Kopf, um die Bilder los zu werden, die sich in mir festsetzten. Ein animalisches Fest lief hinter meinen Augen wie auf einer Leinwand ab. So hatte ich mir auch meine Begegnung mit Marsh vorgestellt.

Emma hatte keine Hemmungen, was ihren Körper anging, und Ray bestimmt auch nicht, trotz seiner Schüchternheit. Sie würden sich gegenseitig Lust bescheren und vor nichts zurückschrecken, was dem anderen Freude brachte, sie würden sich in verschwitzter Leidenschaft winden, bis sie vom explodierenden Orgasmus überwältigt wurden.

Sie würden nicht die Einzigen sein, die an diesem Abend einen Orgasmus erlebten. Mit klopfendem Herzen bereitete ich mich aufs Bett vor, mein Gesicht gerötet, die Nippel steinhart, die Pussy klatschnass.

Ich zog mich aus und stieg ins Bett, wobei ich mit einer Hand über die Zwillingsbacken von Artemis' Po strich. Wohlig streckte ich mich unter der warmen Decke aus, biss mir auf die Lippen und ließ meine Phantasien schießen.

Ich war betrunken und Emma auch, aber trotzdem war ich sicher, dass Emma mit voller Absicht das Thema des Dreiers angeschnitten hatte. Sie wollte provozieren. Vielleicht hatte Ray es nicht sofort kapiert, doch ich glaubte, dass sie mal testen wollte, ob ich bereit war, ihn mit ihr zu teilen. Ich war mir auch sicher, dass es für sie nicht das erste Mal gewesen wäre.

Sie hatte in den letzten Monaten mehr als eine Gelegenheit gehabt, mir Avancen zu machen, und weil das nicht geschehen war, glaubte ich nicht, dass sie eine lesbische Ader hatte. Aber die Vorstellung, ihren Mann mit einer anderen Frau zu teilen, könnte ihr durchaus gefallen.

Es wäre vielleicht geschehen, wenn Ray sie nicht hinausgetragen hätte. Dann hätte Emma mir möglicherweise gestanden, dass sie es schon mal durchgezogen hatte, und sie hätte insistiert, dass ich auch ein indiskretes Erlebnis aus meiner Vergangenheit erzählte.

Ich wusste, wohin solche heißen Geschichten führten; ich war mal bei einem trunkenen Abend während der Collegezeit dabei gewesen. Nackt vor zwei Männern, ich so erregt wie jetzt, kniend vor einem Mann, während der zweite Studienfreund hinter mir hockte und in mich eindrang.

Die Erinnerung warf so klare Bilder auf meine Netzhaut, dass ich zitterte. Es war gut und gewagt gewesen, vielleicht das Unanständigste, was ich je getan hatte. Heute hätte es auch so sein können, da war ich meiner Sache ganz sicher. Wenn ich meine Brüste nicht wieder bedeckt und meine Bluse ausgezogen hätte ... Ich bin sicher, Emma wäre animiert gewesen, auch ihre blanken Brüste zu zeigen.

Während ich in dieser Phantasie schwelgte, nahm ich meine Brüste in die Hände und strich mit dem Daumen über die Nippel. Zwei Hand voll, aber Emmas Brüste waren größer, viel größer. Vielleicht hätte sie ihn geneckt, uns Noten zu geben, was ihm bestimmt die Verlegenheitsröte ins Gesicht getrieben hätte. Ich hätte das Spiel weiter getrieben, die Shorts ausgezogen, um meine langen Beine zu zeigen, und den Po ausgestreckt; eine Pose, die alle Männer lieben, weil sie sehen können, wie sich die Pussy lechzend öffnet.

Ich schob die Beine auseinander, spreizte sie so weit es ging. Mein Schoß war nass und empfindlich. Behutsam tauchte ich mit zwei Fingern hinein.

Jenseits der Dunkelheit meines Schlafzimmers begann ein hohes Quieken, das von abgehacktem Keuchen unterbrochen wurde. Emma erlebte ihren Orgasmus. Ich bildete mir ein, sie zu beobachten, während ich mit mir selbst spielte und Ray in sie hineinstieß, bis er sich in ihr ergoss.

Ich rieb mich langsam weiter, nicht hart, ein mildes Streicheln über die zuckende Klitoris, während sich meine Phantasien im Kopf drehten.

Emma blieb in Kontrolle und achtete darauf, dass er ihr das gab, was sie verlangte, aber gleichzeitig forderte sie mich auf, ihn zu streicheln, ihn in die Hand zu nehmen, ihn zu reiben, den Mund über ihn zu stülpen, ihn kräftig zu saugen, ihn in meine Pussy zu lassen ...

Ich hielt inne. Meine Phantasie war nicht in Ordnung, sie bewegte sich im Kreis, und sie war auch nicht das, was ich von meinen Träumereien erwartete.

Es war Marsh, den ich wollte, Marsh, der mich im Wald nahm oder vor dem ich im Caravan kniete. Oder, besser noch, wir hätten zu seinem Schrein gehen können und uns in totaler Ekstase über den Waldboden gewälzt.

Ja, das klang besser. Ich klammerte mich an diese Bilder, produzierte immer wieder neue, sah mich im Wald ausgestreckt liegen, den Schaft tief in mir.

Hart rieb ich über meine Klitoris, und dann kam ich, drückte den Rücken durch, hob den Po und zuckte am ganzen Körper, der von einem Orgasmus zum nächsten getrieben wurde.

Viertes Kapitel

Ich wachte zu einem Sammelsurium widersprüchlicher Gedanken auf, aber alle wurden überlagert von der Tatsache, dass es in meinem Kopf dröhnte. Billigen Port auf kräftigen Rotwein zu kippen war keine gute Idee gewesen, vor allem auch, weil ich kein Fenster geöffnet und kein Wasser getrunken hatte.

Lächelnd zog ich meinen Morgenmantel an. Ich konnte mich nicht erinnern, jemals so erregt gewesen zu sein wie gestern Abend. Nicht, dass ich irgendwas Böses getan hatte, aber es war trotzdem wahnsinnig gut gewesen. Und einiges hatte sich ja nicht nur in der Phantasie abgespielt.

Marsh zum Beispiel war Realität. Der Schrein im Wald auch. Über beide wollte ich mehr erfahren, und wenn ich Glück hatte, würde aus einem noch größeren Teil meiner Phantasien Realität werden.

Es gab ein kleines Problem. Ich wollte Emma nicht vor den Kopf stoßen, aber sie hasste Marsh. Wenn ich mich mit ihm einlassen sollte, musste es mir gelingen, die beiden miteinander zu versöhnen.

Ich wusch mich und zog mich an; schwere Stiefel, Jeans und ein dicker dunkelgrüner Pullover. Während ich mich im Spiegel betrachtete, redete ich mir ein, dass die Abwesenheit von Farbe nichts mit meiner Absicht zu tun hatte, im Wald zu stromern und vielleicht auf Marsh zu stoßen. Natürlich nicht. Meine Kleidung war für einen Herbsttag auf dem Land genau richtig.

Ob ich nun in den Wald ging oder nicht, ich musste dringend an die frische Luft. Den Kopf durchpusten lassen, um Platz für Gedanken über meine Zukunft zu schaffen. Nach allem, was Emma gesagt hatte, waren meine spontanen Ideen nicht gerade praktikabel. Vieh zu halten war nicht sinnvoll. Es war ratsamer, die Tiere von Emmas Vater zu kaufen.

Ich würde Restaurants mit allem versorgen, was sie an frischen Landprodukten brauchten. Ich hatte Verbindungen, ich kannte mich aus, und ich hatte die Zeit. Zuerst hatte ich nur an Fleisch gedacht, aber ich konnte mein Angebot auf Wild ausdehnen, schließlich gab es genug davon.

Emma und Ray würden einen heißen Kaffee zu schätzen wissen, dachte ich und ging hinüber in den Caravan. Aber die beiden waren nicht da; Emma hatte mir einen Zettel hingelegt, sich für den Portwein bedankt und geschrieben, dass Ziegen und Hühner schon versorgt wären. Tatsächlich, da lagen die Eier, und auf dem Tisch stand der Kübel mit frischer Ziegenmilch.

Es blieb mir also überlassen, was ich mit meiner Zeit anfing, ein Zustand, an den ich mich immer noch nicht gewöhnt hatte. Drei Tassen Kaffee trank ich, langsam, genüsslich, aber dann spürte ich, wie das Koffein mich aufdrehte.

Was gestern Abend geschehen war, löste zwar eine leichte Verlegenheit in mir aus, aber schlecht fühlte ich mich deswegen nicht. Ich wusste, ich konnte damit umgehen, und Emma auch. Es lohnt sich nie, die Dinge zu beklagen, die du im betrunkenen Zustand vollbracht hast. Wenn sie zu schlimm für dich sind, bleibt dir nur die Alternative, in Zukunft den Alkohol zu meiden. Ich jedenfalls lächelte über mein liederliches Verhalten und rätselte immer noch darüber, was Emmas wahre Absichten waren.

Das nächste Mal, wenn wir allein waren, würde ich sie danach fragen. Manche Leute wollen zwar bestimmte Dinge gern tun, wollen das aber nicht zugeben, deshalb kannst du dich mit ihnen nicht darüber unterhalten. Ich glaubte nicht, dass Emma zu dieser Sorte gehörte; im Gegenteil, ich war sicher, dass sie zu mir so ehrlich war wie zu sich selbst.

Als ich den dritten Kaffee getrunken hatte, hörte ich einen lauten Knall, einen Gewehrschuss, und schnell hintereinander knallte es noch zweimal. Dann Stille. Die Explosionen kamen aus dem Westen, Richtung Alderhouse. Ob es eine Jagd gab? Wenn ja, war es wohl keine gute Idee, im Wald spazieren zu gehen. Also suchte ich mir besser eine andere Strecke aus.

Im Cottage fand ich eine alte Flurkarte, die alle Gemarkungen der Umgebung aufzeichnete. Der Besitz, auf dem geschossen wurde, bildete ein unregelmäßiges Fünfeck, etwa eine Meile lang und Dreiviertelmeile breit. Der Pfad zu Emmas Bauernhof begrenzte die Längsseite, und die Autobahn markierte die Grenze im Norden. Eine Straße verlief parallel zum Pfad auf der anderen Längsseite und führte am Alderhouse vorbei und nach Ilsenden, und ein Fußweg verband den Pfad mit der Straße. Wenn ich schon nicht den Wald erkunden konnte, wollte ich mir diese Gegend in meiner unmittelbaren Nachbarschaft ansehen.

Ich begab mich also auf Entdeckungstour, ein bisschen mit schlechtem Gewissen ausgestattet, obwohl ich gar nichts Illegales plante. Unterwegs hörte ich immer wieder Schüsse, und wenn mich nicht alles täuschte, kamen die Explosionen näher. Ich hörte auch die beunruhigten Schreie der Fasane.

Gestern Abend hatte ich den Fußweg gar nicht bemerkt, und ich konnte mich auch nicht daran erinnern, dass es ihn früher gegeben hatte. Ohne die Flurkarte hätte ich ihn auch jetzt nicht wahrgenommen. Er führte an einem kleinen Teich vorbei, und dann sah ich ein großes Warnschild, rot mit dicker weißer Schrift: VORSICHT, SCHÜSSE – NICHT WEITER GEHEN – NEHMEN SIE ANDEREN WEG.

Ich studierte die Karte. Es gab keinen anderen Weg, den man hätte nehmen können, es sei denn, ich wäre zu Fuß über die Autobahn gelaufen oder hätte den Riesenumweg über Ilsenden in Kauf genommen. Das hörte sich typisch nach Paxham-Jennings an – zuerst ließen sie einen öffentlichen Weg überwuchern, dann warnten sie, ihn überhaupt zu benutzen.

Ich streckte mich trotzig und schritt stolz erhobenen Hauptes am roten Warnschild vorbei. Aber dann hielt ich inne. Marsh war wahrscheinlich unterwegs, und wenn ich ihm begegnete, würde es kaum der ideale Beginn einer Freundschaft sein. Auf der anderen Seite – er war ein Mann, und wenn er begriff, was ich wollte … He, ich war entschlossen, mich bei ihm zu entschuldigen, und als äußeres Zeichen meines guten Willens war ich bereit, ihm einen zu blasen. Das war doch was, oder?

Also ging ich den verbotenen Weg weiter und musste über meine schmutzigen Gedanken kichern. Trotzdem war ich froh, dass ich unterwegs niemandem begegnete. Der Weg führte mich zu einer Brücke. Ich blieb stehen und hörte den Verkehr auf der Autobahn. Die Schüsse klangen wieder näher.

Der Weg durch den Wald war jetzt die einzige gescheite Alternative, obwohl das Unterholz immer dichter wurde. Ich kämpfte mich durch und sah mich plötzlich einem Landrover gegenüber. Aber dabei blieb es nicht. Vor mir lag ein Parkplatz, und auf Anhieb schätzte ich, dass die Autos den Jägern gehörten – Mercedes, BMW, viele Allradantriebe, ein Jaguar.

Ein gelangweilt aussehender Junge mit rotem Haarschopf saß auf dem Landrover. Offenbar hatte man ihm aufgetragen, die Wagen der Jagdteilnehmer zu bewachen.

Ich mied den Parkplatz und schlich mich an den Bäumen vorbei, bis sich vor mir ein freies Feld öffnete, und in einer Ecke stand ein Cottage, ein bisschen größer als meines, aber auch mit den roten Ziegeln und braunen Schindeln. Dazu gab es noch ein Fenster im Giebel.

Im Garten sah ich mehrere Blumenkohlreihen, und an überkreuzten Stangen rankten Bohnen hoch. Unter den breiten Blättern konnte ich gelbgrüne Kürbisse erkennen. An einem schief gewachsenen Pflaumenbaum hingen noch die dicken dunklen Früchte. Ich fragte mich, ob Marsh in diesem Cottage wohnte, und ging darauf zu. Aber im nächsten Moment sah ich mich der ganzen Jagdparty gegenüber.

Sie standen mit dem Rücken zu mir, ein paar Dutzend Männer in einer Linie neben nummerierten Pfosten. Die meisten trugen Tweed oder Steppjacken, viele trugen Hüte, und einige saßen auf kleinen Jagdstühlen. Vor ihnen breitete sich ein weites, ebenes Feld aus, und das Gras leuchtete in einem nassen Herbstgrün bis hinunter zum Zaun, hinter dem der Wald mit prächtigen Buchen begann.

Es geschah nicht viel, bis ein Fasan mit entsetztem Geschrei aus dem Wald ausbrach. Es handelte sich um ein fettes Tier, das kaum laufen, geschweige denn fliegen konnte, aber es breitete verzweifelt die Flügel aus und versuchte, sich vom Boden abzuheben.

Ich habe keine Skrupel, fürs Essen zu töten, aber in diesem Fall stand ich auf der Seite des Fasans, und ich biss mir auf die Lippe, als ich sah, wie es dem Tier gelang, sich in die Luft zu heben. Der erste Mann schoss daneben, der zweite auch. Der dritte Mann traf, und das unglückliche Tier stürzte ins Unterholz.

Das wollte ich mir nur ungern ansehen. Ich mag es nicht, wenn die Kräfte so ungleich verteilt sind.

Die Natur hat es so eingerichtet, dass wir Allesfresser sind, deshalb ist es absurd, Fleisch abzulehnen, und wenn wir Fleisch essen wollen, müssen wir auch bereit sein, die Tiere zu töten. Alles andere ist Heuchelei, aber Töten zum Spaß oder Lustgewinn ist ein barbarischer Akt.

Langsam wandte ich mich ab, mein Kopf noch voll vom blutigen Sport, dem diese Männer frönten. Ich hörte, dass sich die Jagdgesellschaft aufzulösen begann. Irgendwo da hinten mussten auch die Paxham-Jennings' sein, und ich verlangsamte meine Schritte. Ich hätte gern gesehen, was aus dem arroganten Burschen geworden war, der mich so von oben herab behandelt hatte. Er war hager gewesen, und aus irgendeinem Grund stellte ich ihn mir mit einem Monokel vorm zuckenden Auge vor. Ein oder zwei Typen sah ich, die von der Gestalt gepasst hätten, aber keiner von ihnen trug ein Monokel.

Ich redete mir ein, dass ich alles Recht der Welt hatte, einen öffentlichen Weg zu benutzen, anzuhalten und zuzusehen, wie reiche Männer in ihre Autos stiegen. Die Jäger schritten auf einer Höhe mit mir aus, sodass ich die Gelegenheit hatte, mir die einzelnen Schützen genauer anzusehen.

Der eine da musste Donald Paxham-Jennings sein, der alte Mann mit dem roten Gesicht. So erinnerte ich mich an ihn, nur sein Schnurrbart war grau geworden. Sein Sohn ließ sich nicht so schnell ausmachen, aber dann begriff ich, dass er der Mann sein musste, der sich hatte zurückfallen lassen, um mit den Treibern zu reden, die aus dem Wald kamen und wieder zur Gruppe stießen.

Meiner Vorstellung entsprach er überhaupt nicht, aber dann sprach ihn jemand mit Namen an. Ich blieb bei der Hecke stehen, plötzlich ganz verlegen. Er war vielleicht sechs Fuß groß, hatte breite Schultern und lange Beine.

Ich sah ihn im Profil, da wirkte er ein bisschen adlerartig, kantiges Kinn, kräftiger Mund. Nicht schlecht, auch wenn ihm die solide Derbheit Marshs fehlte. Nun gut, ich musste meine vorgefasste Meinung in den Wind schießen, und ein bisschen ärgerte es mich, dass er nicht der zahnlose Weichling geworden war, den ich ihm an den Hals gewünscht hatte.

Wir erreichten den Parkplatz beinahe zur gleichen Zeit. Eigentlich könnte ich mich ihnen vorstellen und fragen, ob sie ein Überangebot an Fasanen hatten. Ich wollte schließlich einen schwungvollen Handel mit allem, was essbar war, beginnen. Aber vielleicht war es besser, ich wartete, bis ich Marsh ein solches Gespräch aufzwingen konnte.

Ich bog auf den Parkplatz ein und fing ein paar Gesprächsfetzen auf. Unterschiedliche Dialekte, sehr verschiedene Aussprachen, hoch und nasal, gestochen klar, aber auch manche derbe Provinzfärbungen. Ich hörte einen breiten Akzent, der hier in Berkshire zu Hause war, noch breiter als bei Ray. Unauffällig drehte ich mich nach der Stimme um und sah, dass sie zu Marsh gehörte.

Er lehnte am Zaun, das Gesicht ruhig, verschlossen, vielleicht sogar ein weniger verächtlich. Er hatte absolut nichts Unterwürfiges an sich, und seine Bemerkung war keine Schmeichelei gewesen, sondern eine Kritik an mangelnder Technik. Da sprach nicht der Diener mit seinem Herrn, eher der Fachmann mit dem Laien. Donald Paxham-Jennings mochte zwar der Boss sein, aber Marsh hielt sich ganz offenkundig für den Meister auf seinem Gebiet, und sein Gebiet waren die Felder und Wälder, mit denen er auf eine Weise verbunden war, die andere nie erreichen würden.

Plötzlich fühlte ich mich verlegen und schwach, mir fielen keine Worte ein, und ich hätte ebenso wenig zu ihm gehen können, wie ich fliegen konnte. Es war schon lange her, seit ich mich das letzte Mal so hilflos gefühlt hatte, das war zu meiner Schulzeit gewesen, als ich auf einen Jungen gewartet hatte, und als ich sah, dass er schon da war, hatte ich zitternd das Weite gesucht.

Das tat ich auch jetzt und war sicher, dass er die Röte und den gehetzten Ausdruck auf meinem Gesicht sah. Himmel, dachte ich, ich kann mich doch nicht in einen Mann verliebt haben, ohne ein Wort mit ihm gesprochen zu haben. Das war so völlig untypisch für mich. Mein Gesicht brannte, als ich mich der Straße näherte. Mir war nicht bewusst, in welche Richtung ich ging, ich wollte nur weg, um in Ruhe nachdenken zu können. Ich hatte den Fußweg nehmen wollen, aber als ich ihn erreichte, fuhr ein Auto darüber, und hinter dem Auto bog eine Fußgruppe auf den Weg ein, deshalb drehte ich um und ging in die Richtung zur Autobahnbrücke.

Ich fühlte mich wie eine komplette Närrin, aber ich genierte mich, jetzt noch einmal umzudrehen und an ihnen vorbeizugehen. Ich war wütend auf mich selbst, blieb stehen und band meine Schnürsenkel fester. Ich konnte warten, bis sie vorbeigegangen waren, dann konnte ich den Weg zurückgehen.

Marsh gehörte nicht zu der Gruppe, die sich jetzt näherte, aber Toby Paxham-Jennings war dabei. Er hielt sich im hinteren Teil der Gruppe auf und lächelte freundlich, was einige andere auch getan hatten, aber er entschuldigte sich bei seinen Nachbarn und blieb bei mir stehen.

»Ich ... eh, entschuldigen Sie, dass ich Sie anspreche, aber sind Sie nicht Jean Suttons Enkelin?«

»Ja, bin ich.«

»Das habe ich mir gedacht. Toby Paxham-Jennings.«

Er streckte die Hand aus, und ich schlug ein.

»Es tut mir schrecklich Leid. Ich war bei ihrer Beerdigung.«

»Ja, danke. Entschuldigen Sie, dass ich Sie nicht erkannt habe.«

»Warum sollten Sie auch? Es ist lange her. Sie heißen Juliet, nicht wahr?«

»Ja, hi.«

»Und Sie sind in Jeans Cottage gezogen, habe ich gehört.«

»Ja. Ich ... ich wusste gar nicht, dass Sie so gut mit Granny befreundet waren.«

»Ja, aber natürlich. Sie war über vier Jahre lang mein Kindermädchen.«

»Das wusste ich gar nicht.«

»Nun ja, das muss zu einer Zeit gewesen sein, als Sie noch gar nicht da waren, schätze ich. Und haben Sie sich schon eingelebt?«

»Sehr gut, ja. Es ist sehr schön hier.«

»Absolut. Sie müssen zum Abendessen zu uns kommen. Passt es Ihnen am Freitag? Wir haben eine Party.«

»Eh, ja ... Warum nicht?«

»Großartig. Halb acht? Wir werden acht sein, glaube ich.«

»Ich komme gern.«

Er zögerte und lächelte, als wollte er noch etwas sagen, dann nickte er abrupt und ging weiter. Nach ein paar Schritten drehte er sich noch einmal lächelnd um. Ich war immer noch dabei, meine Schnürsenkel neu zu binden, und als ich endlich damit fertig war, hatte ich ihn und die anderen aus den Augen verloren.

Das war doch gar nicht schlecht gelaufen, dachte ich. Seine Gutsherrenart, was seinen Besitz anging, mochte ich beileibe nicht, aber zu mir war er sehr freundlich gewesen, auch wenn seine Blicke ab und zu auf meine Brüste fielen, daran war ich gewöhnt. Seine Sympathie für Granny schien echt zu sein. Zudem war er ein guter Kontakt für meine Fasane – und für anderes vielleicht auch. Die Einladung zum Abendessen hatte ich gern angenommen, denn ich nahm an, dass Alderhouse eine traditionelle englische Küche pflegte und über einen feinen Keller verfügte.

Meine Gedanken waren wieder bei Marsh, als ich den Fußweg erreichte. Das Warnschild war nicht mehr da; ich nahm an, dass er es weggenommen hatte. Man brauchte nicht Sherlock Holmes zu sein, um sich auszurechnen, dass er irgendwo vor mir auf diesem Weg war.

Er würde auch noch das zweite Warnschild entfernen und dann zurück in sein Haus gehen, und dabei würden wir uns begegnen.

Schmetterlinge flatterten in meinem Bauch. Ich ging weiter und knurrte, ich sollte endlich erwachsen werden. Ich wusste nicht, was mit mir geschah. Bisher war ich das Mädchen, das offen aussprach, was es wollte – und es meistens auch erhielt. Ich konnte ihn angehen wie Teo – eine Hand auf den Schritt legen und leicht zudrücken. Das war eine Botschaft, der kein Mann widerstehen konnte.

Ich tat es nicht. Er kam vorbei, wie ich es erwartet hatte, und er sah mich mit einem verwegenen Grinsen an, bevor sein Blick auf die Schwellung meiner Brüste fiel. Ich sagte nichts, und er ging weiter und ließ mich knallrot und zitternd stehen, die Nippel steil aufgerichtet.

Die meisten Männer stieren auf meine Brüste, einige reden mehr mit ihnen als mit mir, die meisten sehen schuldbewusst aus und sind peinlich berührt, wenn ich sie dabei erwische und eine spöttische Bemerkung mache.

Marsh nicht. Er starrte ungeniert, und das wollte ich auch. Ich wollte, dass er mein Top und den BH nach oben schob, dass er an meinen Nippeln saugte, mich zu Boden warf und bestieg. Ah, er war ein Tier.

Mir wurde schwindlig von meinen Phantasien, und als ich das Ende des Fußwegs erreicht hatte, hielt ich zuerst mal an, ging auf die Brücke und sah hinunter auf den fließenden Verkehr, während ich mich bemühte, meine Gedanken zu ordnen.

Marsh war allein stehend, das wusste ich von Emma, also würde er für meine Angebote empfänglich sein, denn schwul war er nicht. So ein Mann konnte nicht schwul sein, nicht nach diesen Blicken. Vielleicht war ich ein bisschen dünn für ihn, seine sexuellen Instinkte waren bestimmt auf Erdmuttertypen gepolt. Aber seine Blicke hatten mir was anderes gesagt.

Ich stand fast eine halbe Stunde da und starrte auf den Autobahnverkehr, bevor mich der Hunger zurück auf die Erde brachte. Seit gestern Abend hatte ich lediglich Kaffee getrunken. Die Jäger stärkten sich mit einem Mittagessen, und wahrscheinlich kaute Marsh jetzt auch was Herzhaftes in seinem Cottage.

Wieder Omelette, aber dann wenigstens mit Pilzen. Ich ging von der Brücke hinunter und sah mich im Gras um. Eigentlich war die Gegend gut für Pilze, aber ich sah keine. Unter so vielen Buchen und Eichen musste es verschiedene Arten geben, der Boden verlangte es einfach.

Vielleicht müsste ich tiefer in den Wald vordringen, wo die älteren Bäume wuchsen. Marsh würde beim Essen oder mit dem Aufräumen beschäftigt sein. Die Treiber hatten ihr Geld erhalten und waren sicher schon auf dem Nachhauseweg, also sollte ich freie Bahn haben. Trotzdem pochte mein Herz schneller, als ich tiefer in den Wald eindrang. Der Weg, den ich früher so oft benutzt hatte, musste etwa zweihundert Schritte östlich liegen, und eine Viertelmeile südlich sollte das Fasanengehege sein. Dahinter begann der alte Wald.

Ich holte mit entschlossenen Schritten aus, aber nach etwa dreihundert Metern erreichte ich eine Pinienschonung. Irgendwas an meiner Berechnung konnte nicht stimmen. Links von mir sah ich eine der hohen Buchen, und als ich sie erreichte, lag das freie Feld vor mir, auf dem ich die Jäger gesehen hatte. Verdammt, ich war fast im Halbkreis gegangen, statt geradeaus in südliche Richtung.

Hinter den hohen Buchen lag der alte Wald, und als ich mittendrin war, sah ich die ganze Pracht vor mir, Waldchampignons, Hallimasch, Steinpilze – und Fasane.

Man hatte sie liegen lassen, wohin sie abgestürzt waren. Offenbar dachte niemand daran, sie einzusammeln und zu verkaufen. Ich erinnerte mich an einen Artikel, den ich vor ein paar Monaten gelesen hatte. Nach solchen Jagden sank der Preis für Wild und Geflügel, weil das Angebot zu groß war. Um den Handel nicht an niedrige Preise zu gewöhnen, wurde das Angebot künstlich klein gehalten – lieber ließ man die Vögel verrotten. Auf den Gedanken, weniger Vögel zu schießen, kamen die Jäger offenbar nicht. Was für eine widerliche Verschwendung.

Nun, wenn sie die Fasane nicht wollten, dann konnte ich sie an mich nehmen. In meinem Kopf schwirrten schon Rezepte mit Waldchampignons und Fasan. Im *Seasons* hatten wir den Vogel gebraten oder die filettierten Brüstchen angeboten, und beide Arten hatten wir mit einer Pilzsauce serviert. Jetzt aber saßen mir keine Gäste im Nacken, deshalb konnte ich ein wenig experimentieren. Mir fiel ein, dass ich die Brüstchen mit Pilzen füllen und dann schmoren könnte.

Ich kam mir vor wie ein Kind im Bonbonladen, während ich bald mehr Fasane und Pilze gesammelt hatte, als ich tragen konnte. Ich zog meinen Pullover aus, ignorierte de Herbstkühle und knotete einen provisorischen Beutel aus meinem Kleidungsstück. Es lag immer noch viel mehr herum, als ich tragen konnte. Ich füllte die Pilze in den Pulli und legte die Fasane unter die breiten

Äste einer Stechpalme. Als ich mich aufrichtete, hob ich den Blick und erstarrte.

Da stand ein Mann auf dem Feld, direkt neben dem ersten Schießposten. Er bückte sich tief und sammelte die leeren Hülsen ein. Ich fluchte leise vor mich hin, weil ich in meiner Sammelwut nicht auf meine Umgebung geachtet hatte. Vorsichtig robbte ich über den Boden und versteckte mich hinter den Stamm der nächsten dicken Buche.

Es war der letztmögliche Moment gewesen, denn im nächsten Augenblick hörte ich eine Männerstimme, die durch die Bäume merkwürdig gedämpft klang. Ein Lachen antwortete dem Mann. Das mussten die Treiber sein, die wahrscheinlich geschickt worden waren, die Fasane einzusammeln.

Mir schlug das Herz bis zum Hals. Ich duckte mich in die Stechpalmenbüsche und hielt den zum Beutel mutierten Pullover an mich gedrückt. Die Stimmen kamen näher. Ich presste mich fest auf den Boden, hob unendlich langsam den Kopf, und dann sah ich sie auch.

Es waren drei Männer, zwei Treiber und Marsh. Sie schritten über das Feld und hoben die Fasane auf, die dort lagen. Mein Instinkt sagte mir, ich sollte aufspringen und wegrennen, aber ich wusste, dass sie mich hören würden, das Rascheln der Blätter, das Knacken der Zweige. Also blieb ich flach auf dem Boden liegen und wartete, bis sie an meinem Versteck vorbei waren. Ich wusste, sie würden auch die restlichen Fasane noch einsammeln.

Ich kroch weiter zurück, ignorierte das Prickeln der Stechpalmenblätter an Händen und nackten Armen. Mitten im Gebüsch riskierte ich, mich ein wenig aufzurichten. Die ganze Zeit musste ich gegen meine aufsteigende Panik ankämpfen. Die Bäume und das Unterholz boten mir Sichtschutz, aber dadurch konnte ich auch das Feld nicht mehr sehen. Ich richtete mich etwas höher auf, aber die Männer waren nicht mehr in meiner Nähe. Ich atmete tief durch.

Es wäre eine bedrohliche Situation geworden, aber ich war ihr entkommen. Jetzt musste ich nur noch den Fußweg erreichen, um endgültig in Sicherheit zu sein, und dann rannte ich und hielt erst an, als ich meine gestohlenen Pilze auf den Küchentisch fallen ließ. Ich sackte auf den Stuhl, knüpfte meinen Pulli auf und grinste stolz auf meine Beute.

Ich fühlte mich phantastisch, großartig, schadenfroh. Es war dumm gewesen, nicht auf das Geschehen in meiner unmittelbaren Umgebung geachtet zu haben, aber ich hatte Ruhe bewahrt, und mir war die Flucht gelungen. Nicht nur das, ich hatte auch noch eine herrliche Sammlung von Pilzen erbeutet. Es war der Bedarf des *Seasons* für ein Jahr. Das allein war schon gut, aber der eigentliche Kick war, dass ich mir die Beute erarbeitet hatte.

Meine Finger zitterten. Ich konnte nicht still sitzen, und ich konnte nicht aufhören zu grinsen. Was für ein Fang. Mein Erlebnis im Wald hatte was Erotisches an sich, noch geiler als die Geschichte mit Teo. Ich bedauerte nur, dass ich die Vögel hatte zurücklassen müssen. Ein Wermutstropfen in meinem Pokal der stolzen Freude. Ich wollte den Verlust der Fasane nicht auf mir sitzen lassen.

Während ich das opulenteste Omelett meines Lebens genoss, beschloss ich, auch die Fasane noch zu holen. Ich hatte sie gut versteckt, insgesamt sechs, und ich war sicher, dass die Treiber sie nicht gefunden hatten.

Das Omelett war wirklich so gut, wie es mit diesen Zutaten sein musste. Ich genoss jeden Bissen und musste gestehen, dass der Geschmack auch deshalb so außerordentlich gut war, weil ich die Zutaten unter diesen dramatischen Umständen erworben hatte. Vielleicht bin ich wirklich ein böses Mädchen, aber ich fühlte eine tiefe Befriedigung, die ich noch nie zuvor empfunden hatte.

Ich saß in meinem Wohnzimmer und begann zu planen. Meine Expedition in den Wald war nicht geplant gewesen, deshalb hatte ich Fehler gemacht. Ich war erkennbar gewesen – Marsh würde mich identifizieren können, schließlich hatte er mich aus nächster Nähe angestarrt. Nach seiner Beschreibung hätte er einen Steckbrief anfertigen können. Er brauchte sich nur noch mit Toby Paxham-Jennings kurzzuschließen, dann stand für alle fest, dass ich die Diebin war.

Wenn ich also noch einmal auf Beutezug ging, musste ich vermeiden, erkannt zu werden. Dunkle Kleidung. Die Haare unter einer Mütze verstecken. Wenn ich Hose und Jacke trug, konnte ich Hüften und Po verstecken – mit etwas Glück konnte ich als Mann durchgehen.

Wann immer es um Gaunereien ging, unterstellt man, dass der Sündenbock ein Mann war. Falls sich später herausstellt, dass es eine Frau war, sind Überraschung und Entsetzen groß. Das wollte ich ausnutzen, und wenn ich mich nicht auf frischer Tat erwischen ließ, würde niemand auf den Gedanken kommen, ich könnte die Täterin sein. Wilderer sind männlich.

Ich musste es versuchen.

Ich breitete die restlichen Pilze in der Vorratskammer zum Trocknen aus, schaute kurz in die Gelben Seiten, rief ein Taxi und nahm kurz noch eine Dusche, während ich auf den Wagen wartete.

Der Laden lag in einer Seitenstraße in Reading, zwischen einem schmierigen Café auf der einen und einem lauten Gewerbebetrieb auf der anderen Seite. Das Schaufenster war mit Militaria vollgestopft. Im Laden selbst standen ein paar junge Männer herum, alle in Tarnanzügen und mit verschiedenen Lederriemen ausgestattet, deren Sinn ich auf Anhieb nicht erkannte. Einer von ihnen trug einen Helm mit Tarnnetz.

Nun, ich hatte nichts dagegen, wenn junge Männer sich als Soldaten verkleiden, erst recht nicht, wenn sie erfreut zu sein schienen, mich zu sehen. Ich war nicht sicher, ob das daran lag, dass ich weiblich war oder einfach nur Umsatz versprach. Einer der Verkäufer, größer als die anderen, mit einem wilden blonden Haarschopf, trat auf mich zu.

»Kann ich Ihnen helfen, Miss?«

»Ja, ich brauche einen Tarnanzug.«

Er sah mich an, als erwartete er weitere Erklärungen, und als sie ausblieben, starrte er auf meine Brüste.

»Woran haben Sie gedacht?«, fragte er. »Feld? Wüste? Eis? Dschungel? Armeestil? Deutsches Grau würde Ihnen gut stehen.«

»Sie würde auch in alten Säcken gut aussehen«, sagte sein Kollege mit dem Helm, und die anderen lachten schmutzig.

Ich lächelte, schließlich hatten sie es als Kompliment gemeint. »Ich habe eher an eine Tarnung für die hiesigen Wälder gedacht«, sagte ich. »So etwas in der Farbe Ihres Pullovers.« Deutlicher konnte ich nicht werden, sonst hätte er gewusst, dass ich zum Wilderer werden wollte.

»Ich glaube, ich habe da was für Sie, aber ...«

Er brach ab und sah sich verlegen um. Einer seiner Kollegen, jung und mit Zahnspange, sprang in die Bresche. »Wir haben nur Männerklamotten, die für eine Waldtarnung taugen«, sagte er. »Für Frauen haben wir eine Feldkluft. Wollen Sie sie mal anprobieren?«

»Nein, danke. Ich brauche was für die Wälder. Welche Farben haben Sie da?«

Der große Blonde meldete sich wieder. »Die gefragtesten Farben sind schwarz, rostbraun und flaschengrün. Mit allen Farben gelingt die Tarnung gut, wobei Sie wissen müssen, dass die Tarnung dann am besten funktioniert, wenn man sich robbend fortbewegt. Man wird eins mit dem Laub.«

»Ja, ist mir klar. Kann ich Jacke und Hose mal anprobieren?«

»Ja, klar, hier hinten, bitte.«

Er schob mich in einen Gang, der von einem Netz aus Kunststoffefeu verdeckt war. Ich folgte ihm und hörte noch, wie Zahnspange quengelte: »Pass bloß auf ihn auf, meine Liebe, sonst schwatzt er dir mehr als nur deinen Schlüpfer ab.«

Die anderen grölten, während der Blonde seine Kollegen zur Ordnung rief. Es gab keine Kabine, nicht mal einen abgetrennten Raum, nur Regale mit Klamotten. Der Blonde zog ein paar Teile heraus, drückte sie mir verlegen in die Hand und drehte mir den Rücken zu.

Ich fand seine Verlegenheit süß und knabberte an Zahnspanges Bemerkung, dass er mir mehr als nur den Schlüpfer abschwatzen wollte. Im Gegensatz zu ihm war mein Blonder scheu. Ich zog den Pulli über den Kopf und setzte mich auf einen Stuhl. Dann bückte ich mich und öffnete meine Schnürsenkel.

Die Teile, die der Blonde aus dem Regal gezogen hatte, passten genau. Ich sah wie ein schlanker Mann aus und war froh, dass niemand wissen wollte, warum ich in Männerklamotten herumlaufen wollte.

Ich stand in BH und Slip da und reichte dem Blonden die Hose. »Ich würde gern eine Nummer kleiner probieren«, sagte ich und musste grinsen, als ich sah, wie sehr er sich bemühte, meine Brüste nicht anzustarren. Die kleinere Version passte wie angegossen, saß vielleicht ein bisschen zu eng um den Po, aber das war mir egal. Die Jacke war ziemlich weit, was gut war, denn darunter konnte ich meine Brüste gut verstecken.

Ganz hinten im Raum befand sich ein Spiegel, aber die Beleuchtung war so spärlich, dass ich kaum etwas erkennen konnte. Trotzdem posierte ich lange vor dem Spiegel, und erst jetzt wurde mir bewusst, wie verdächtig still es im Laden geworden war.

Ich war sicher, dass sie mir beim Umziehen zuschauten. Zuerst war ich verärgert, dann verlegen, denn ich hatte vor dem Spiegel auffällig den Po geschwenkt, als ich die enge Hose ausgezogen hatte.

Irgendwie ahnte ich, dass es Zahnspange war, der mich beobachtete. Er war einfach der Typ dazu. Später würde er damit prahlen, was er gesehen hatte, und das ärgerte mich. Na gut, sollte er sich doch vor lauter Geilheit einen runterholen, während er seinen Kollegen übertrieben erzählte, dass er die Härchen meiner Pussy gesehen hatte. Ich ließ die Jacke von den Schultern rutschen und drehte mich um.

»Können Sie mal kommen, bitte?«

Mein großer Blonder tauchte plötzlich vor mir auf. Ich zog mich wieder aus, als wäre es die natürlichste Sache der Welt, mich vor einem Fremden zu entkleiden.

Ich drückte ihm Hose und Jacke in die Hand. »Das ist genau das, was ich gesucht habe«, sagte ich. »Was muss ich dafür zahlen?«

»Sechsunddreißig Pfund.«

Ich hatte keine Lust zu feilschen. Ich schmiegte mich an ihn, stellte mich auf die Zehenspitzen und murmelte: »Was hältst du von einem Blowjob?«

Ich lächelte und zwinkerte ihm zu. Er stand da, das Gesicht wie in rote Farbe getaucht. Der Mund öffnete sich wie bei einem Kabeljau. Aber er rannte wenigstens nicht weg. Ich stellte den Stuhl in meine Richtung, damit Zahnspange nur die Rückseite seines Freundes sehen konnte, dann setzte ich mich. Der große Blonde stieß einen tiefen Seufzer aus, entweder vor Lust oder vor Verwunderung, als ich seinen Hosenstall aufzog.

Der Schaft meines Jungen war schon halb steif, und die fleischige Spitze stieß durch die Vorhaut. Er fühlte sich wahnsinnig glatt und geschmeidig an, die Haut war wie Seide, und ich konnte es gar nicht erwarten, ihn in meinem Mund zu spüren und ihn kräftig zu saugen.

Ja, es war ein lustvolles Vergnügen, als ich ihn in meinem Mund noch einmal wachsen fühlte. Ich mag den Geschmack von Mann, das Gefühl des harten steifen Schafts im Mund und das Wissen, dass jeder Mann, mit dem ich das ausübe, wie Wachs in meinen Händen ist.

Aber es ging nicht nur darum. Dies hier hatte noch eine zusätzliche Komponente, denn ich wurde von seinem neiderfüllten Kollegen beobachtet. Das steigerte die Erfahrung noch. Ich saugte brav und rieb eine Hand zwischen meine Schenkel.

Ich musste kommen und sah keinen Grund, darauf zu verzichten. Zahnspange würde grün vor Neid werden, wenn er sah, dass ich nicht nur seinen schüchternen

Freund saugte, sondern auch noch scharf davon wurde. Mir war bewusst, wie sehr ich mich zur Schau stellte. Ich wollte, dass mein Blonder alles sah. Mit einer Hand strich ich über meine Brüste und spürte die erigierten Warzen durch den dünnen Stoff des BHs. Ich zog den BH hoch und ließ die Brüste in meine Hand fallen, nackt, schwer und empfindsam.

Ganz nackt zu sein fühlte sich noch besser an. Ich brauchte nur eine Sekunde, dann hatte ich den Slip bis unter die Knie gezogen. Mein Blonder sollte alles sehen, aber ganz nackt wollte ich nicht sein. Der junge Mann wollte seine Jacke ausziehen, aber ich hielt ihn zurück. Es war noch besser, dass ich so gut wie nackt war und er in Kampfkleidung vor mir stand, sein Schaft durch den Hosenschlitz gereckt, damit ich nach Herzenslust mit ihm spielen konnte.

Ich rutschte näher an ihn heran, schob eine Hand zwischen meine Schenkel und rieb den warmen Hügel meines Geschlechts. Während ich eine Brust umfasste und den Nippel zwickte, begann ich zu masturbieren und darüber nachzudenken, wie unanständig ich mich verhielt – ich brachte mich zum Orgasmus, saugte einen Mann und wusste, dass sein Freund zuschaute.

Seine Erregung stieg, ich hörte es an der Lautstärke seines Stöhnens und merkte es durch seine härteren Stöße in meinen Mund. Ich wollte zwar vor ihm kommen, aber die Erektion zwischen meinen Lippen war wichtiger. Ich rieb härter an seinem Schaft und genoss die Wollust, die ich in seinem Gesicht lesen konnte. Er stieß tief in mich hinein; ich wollte schon protestieren, aber dann nahm er die Erektion in die Hand und rieb sich beinahe wütend, bis er keuchend eruptierte. Ächzend stand er da, heftig atmend und nach Luft ringend.

»He«, jappte er, »das war großartig.«

»Ja, stimmt.«

Das war eine andere Stimme, und ich fuhr herum und sah, dass die anderen hinter dem großen Blonden standen. Aber es war natürlich Zahnspange, der gesprochen hatte. Er stand ganz vorn und drückte die unübersehbare Schwellung in seiner Hose.

Ich grinste. »Nee, Leute, so läuft das nicht. Jedenfalls nicht heute.« Ich sah in die enttäuschten Gesichter und fügte versöhnlicher hinzu: »Vielleicht später mal, wenn sich die Gelegenheit ergibt.«

Zum Schluss bestand ich darauf, meinen Tarnanzug zu bezahlen, alles andere wäre mir nicht recht gewesen. Ich war froh, die Kontrolle behalten zu haben.

Die Sonne versank schon hinter dem Wald, als ich zurück ins Cottage ging. Mein Plan stand fest, ich würde ihn umsetzen, auch wenn er riskant war. Das Risiko war kalkulierbar, fand ich, und ich lechzte nach dem Kick.

Als ich angezogen und aufbruchbereit war, entsprach ich genau der Vorstellung von meiner Rolle. Wenn ich mir unterwegs begegnet wäre, hätte ich laut geschrien. Es war längst dunkel, aber über den Baumspitzen leuchtete der Vollmond.

Das Risiko bestand auch darin, dass ich unterwegs einem Auto begegnete, und außerdem wusste ich nicht, ob Emma nachher kommen würde. Aber ich verdrängte alle Bedenken und ging mit gemessenen Schritten Richtung Wald. Unter den Bäumen war es dunkler, fast rabenschwarz. Ich stand auf dem weiten Feld und drückte meine Taschenlampe an, um wieder einen Blick auf die Flurkarte werfen zu können.

Zuerst empfand ich eine instinktive Angst, weil die Schatten der Bäume und die Geräusche mich fast erdrückten; das unerwartete Bellen eines Fuchses oder das Schlagen von Fasanenflügeln. Je tiefer ich in den Wald eindrang, desto mehr gewöhnten sich meine Blicke an die Umgebung. Die Taschenlampe brauchte ich zum Glück nicht mehr.

Ich blieb immer wieder stehen und lauschte nach Geräuschen, die nicht in die Umgebung passten. Schritte zum Beispiel. Oder das Atmen eines Mannes. Aber mein Ohr nahm nichts wahr, was nicht in den Wald gehörte, und allmählich hatte ich mich überzeugt, dass ich der einzige Mensch im Wald war. Marsh hielt sich gewiss in seinem Cottage auf, und Toby unterhielt sich mit seinen Gästen und überließ mir den Wald. Ich musste hinunter zum Fluss, dann weiter nach rechts zu den Buchen und zu meinen Fasanen.

So hatte ich es geplant, aber während ich mich vorsichtig durch die Dunkelheit bewegte, begann meine Phantasie eine völlig andere Geschichte zu weben. Darin rannte Marsh durch den Wald und stand vor seinem Schrein, den Kopf voller erotischer Gedanken.

Ich wollte ihm begegnen, und ich stellte mir vor, wie ich plötzlich vor ihm stand. Wir wechselten kein Wort, er nahm mich am Arm und führte mich zur dicken Buche. Wir zogen uns nackt aus, ignorierten die kühle Nacht und liebten uns voller Leidenschaft zu Füßen seines Schreins.

Die Bilder im Kopf waren so deutlich, dass ich mich an ihnen erregte. Am liebsten würde ich mich streicheln und mir selbst einen Orgasmus bescheren, aber die

Kälte hinderte mich daran. Sobald ich zu Hause war, nahm ich mir vor, würde ich mich einer langen Selbstbefriedigungssession hingeben.

Plötzlich stand ich auf einem Pfad, den ich nicht kannte. Ich blieb stehen und sah wieder Bilder von Marsh und mir. Die Phantasien wurden unanständiger. Ich konnte nicht weiter, ich musste es tun, Kälte oder nicht. Das Plätschern des Bachs drang an meine Ohren. Ich fühlte mich völlig geschützt. Ohne weiteres Zögern schob ich Hose und Slip weit nach unten.

Ich schloss die Augen und wusste, dass ich nicht langsamer sein dürfte als meine Phantasie. Er würde mich schnappen, meine Kleidung aufreißen und sofort erkennen, dass ich eine Frau war, und natürlich benutzte er mich rau und derb. Er drückte mich auf die Knie, und ich wusste, was er erwartete.

Immer heftiger stieß er in meinen Mund, während seine Hände meine Brüste quetschten. Ich konnte mich nicht erinnern, schon mal so erregt gewesen zu sein. Er hätte mich gar nicht zwingen müssen, ich hätte es freiwillig getan.

Ich spürte, wie sich seine Hoden hoben, es würde nicht mehr lange dauern, und Sekunden später schoss es aus ihm heraus, und gleichzeitig kam es auch mir. Wie lange ich noch in meinen Träumen nuckelte, wusste ich gar nicht. Ich musste hart auf meine Unterlippe beißen, um nicht vor Lust aufzuschreien. Oh, Himmel, war das gut. Ich hielt mich an einem Baumstamm fest, um mein Gleichgewicht zu halten.

Als ich endlich wieder zur Vernunft gekommen war, stand ich auf schwankenden Beinen da. Ich richtete meine Kleidung, wandte mich dem Bach zu und ging in nördliche Richtung. Falls Marsh sich auf einer nächtlichen Erkundungstour durch den Wald befand, würde er bestimmt eine starke Taschenlampe bei sich haben, dann konnte ich ihn also von weitem erkennen und hatte Zeit, mich zu verstecken.

Nur wenn er einen Hund bei sich hatte, würde es Probleme geben. Stirnrunzelnd überlegte ich, ob ich zurückgehen sollte. Aber die Stille um mich herum verriet keine Gefahr, also ging ich weiter.

Allmählich näherte ich mich dem fruchtbaren Pilzboden, und natürlich wuchs die Spannung in mir. Hatten die Treiber mein Fasanenversteck unter den Stechpalmen entdeckt? In der Dunkelheit sahen die Büsche ganz anders aus. Ich lief von einem zum anderen, griff nach unten, tastete über den Boden und griff immer wieder ins Leere.

Der Frust stieg in mir hoch, aber ich war wild entschlossen, nicht so rasch aufzugeben, und begann die Suche von neuem. Ich riskierte sogar kurze Einsätze meiner Taschenlampe. Beim dritten Gebüsch wurde ich fündig. Die Fasane lagen noch da, wo ich sie versteckt hatte.

Ich schob die Vögel in den Sack, den ich mitgebracht hatte, und als ich ihn zuschnürte, lugten die langen Schwanzfedern noch heraus. Grinsend zog ich mich zurück, aber in diesem Moment hörte ich hinter mir einen lauten Ruf.

»He, wer ist da?«

Ich ruckte herum und sah das Aufflammen einer Taschenlampe auf dem Feld. Der Schein tanzte über die Baumstämme um mich herum. Ich warf mich flach auf den Boden.

Es war Marsh, der im Garten seines Cottages stand

und die Taschenlampe wandern ließ. Ich blieb flach auf dem Boden liegen und betete, dass er aufgab.

Dieses Glück hatte ich nicht. Ich hörte das Quietschen seines Gartentors und wusste, dass er die Fährte aufnehmen würde. Ich vergaß alle guten Vorsätze, knipste meine Taschenlampe an und rannte blindlings davon.

»He, du! Stehen bleiben!«

Beinahe wäre ich stehen geblieben, allein schon wegen der Befehlsgewalt in seiner Stimme, aber ich zwang mich weiter und rannte tiefer in den Wald. Wieder hörte ich ihn schreien, aber ich rannte und rannte. Das Unterholz wurde immer dichter und ließ mich viel langsamer vorankommen, und weil er den Wald besser kannte als ich, würde er mich bald eingeholt haben. Panik stieg in mir hoch. Ich hörte seine Füße im Bach.

Er näherte sich rasch, und ich spürte den Schein seiner Taschenlampe auf meinem Rücken. Ich kämpfte mit Zweigen und Dornen, und dann öffnete sich der Wald plötzlich. Trotzdem kam ich kaum schneller voran, denn ich spürte Sumpf unter meinen Füßen. Marsh war nur noch wenige Meter hinter mir.

Ich hatte keine Chance, irgendwo wegzutauchen. Er war nicht nur schneller, sondern auch viel stärker als ich, schoss es mir durch den Kopf.

Vor mir sah ich das Fasanengehege; die Tiere flatterten und schrieen aufgeregt. Ich rannte weiter und spürte, wie mich etwas an der Hüfte packte, aber nur einen kurzen Moment lang, dann hatte ich mich losgerissen.

Ein ohrenbetäubendes Brüllen erwischte mich wie ein Donnerschlag. Ich stolperte, und einen entsetzlichen Moment lang glaubte ich, erschossen worden zu sein. Noch während ich im Matsch lag, begriff ich, dass ich die Wildererfalle ausgelöst hatte, aber das war mir jetzt auch egal.

Ich lag im Dreck und rappelte mich hoch. Marsh schrie wieder, ganz dicht hinter mir, und dann spürte ich seine Finger auf meinem Arm.

Brennender Schmerz zuckte über meine Pobacken. Er hatte mich mit einem Knüppel oder einer Peitsche geschlagen. Ich schrie, rappelte mich hoch und rannte weiter. Die Panik raubte mir die Luft. Meine Muskeln brannten, und ich spürte mein Herz im Hals schlagen. Ich rannte am Caravan vorbei und sprang über den gefällten Baum. Marsh fluchte laut und stürzte sich ins Unterholz, aber er war zu schwer und rannte sich fest, während ich meine Flucht fortsetzen konnte.

Ich hielt nicht einmal an, um Luft zu schnappen, und hielt erst inne, als ich mein Cottage erreichte und die Tür hinter mir verriegelte. Im Flur sank ich auf die Knie und schnappte nach Luft, während mein Herz sich allmählich beruhigte. Furcht und Entsetzen waren noch da, aber dann wichen diese Gefühle einem immer tiefer werdenden Grinsen.

He, ich hatte es geschafft! Ich war einem kräftigen Mann entkommen, einem Mann, der einen Kopf größer war als ich und stark wie ein Ochse.

Kein Wunder, dass ich mich euphorisch fühlte. Mein Triumph setzte Adrenalin in mir frei, aber dann erkannte ich, dass ich die Flucht nicht unbeschadet überstanden hatte.

Unterwegs hatte ich den Sack mit den Fasanen verloren. Ich konnte mich nicht erinnern, ob ich ihn weggeworfen hatte oder ob er im dichten Gestrüpp hängen geblieben war. Die Handschuhe hatten mich geschützt, aber an den Armen spürte ich brennende Kratzer.

Ich verzog das Gesicht, sah an mir herunter und begann, meinen Tarnanzug auszuziehen. Es war durchaus möglich, dass Marsh voller Misstrauen seine eigenen Untersuchungen anstellte und mich in die Reihe von Verdächtigen einbezog. Wenn er durchs Fenster schaute und mich im Tarnanzug entdeckte, war ich aufgeflogen.

Im Schlafzimmer streifte ich Hose und Jacke ab. Im Spiegel betrachtete ich meine Rückseite. Der Kerl hatte mir kräftig eins übergebraten; ich schätze, es war eine Peitsche, die er mir über beide Backen gezogen hatte. Ohne es zu sehen, war ich sicher, dass sich rote Striemen gebildet hatten. Sie brannten höllisch, und unwillkürlich tastete ich mit den Fingern darüber.

Verdammt. Der Mann, auf den ich ein Auge geworfen hatte, in den ich mich auf Anhieb verknallt hatte, war für die Attacke auf meinen Po verantwortlich. Er hatte mich mitten in der Nacht durch den Wald gejagt. Was passiert wäre, wenn er mich gepackt und gestellt hätte, mochte ich mir erst gar nicht vorstellen. Vielleicht hätte er mir den Hintern versohlt, die Hose nach unten gezogen und dann …

Der Kerl war zu weit gegangen. Derber Sex mag zur Abwechslung mal ganz schön sein, aber so gemein wollte ich nicht behandelt werden. Ich beschloss, dass er doch nicht der Mann war, den ich haben wollte. Das tat weh, aber besser jetzt als später.

Minuten danach lag ich im warmen Badewasser und erlebte sehr bewusst, wie die Schmerzen schwanden. Die Flucht war so gut wie ein Orgasmus gewesen.

Fünftes Kapitel

Bis zur Einladung zu Toby Paxham-Jennings blieben mir zwei Tage, um mich zu erholen. Ich vertrödelte die Zeit und dachte über das nach, was geschehen war.

Hauptsächlich versuchte ich, meine Verärgerung über Marsh zu verarbeiten. Natürlich sagte ich mir, dass es meine eigene Schuld war, schließlich war ich es, die gewildert hatte, aber es gehörte sich nicht, mich so gnadenlos durch den Wald zu hetzen. Ich sagte mir auch, er hätte mich bestimmt nicht mit der Peitsche traktiert, wenn er gewusst hätte, dass der Eindringling eine Frau war, aber ganz sicher war ich mir nicht.

Vielleicht war es sogar eine explizit sexuelle Handlung, eine Art derbes Vorspiel. Wie ein Mann, der seiner Freundin zum Auftakt gern den Hintern versohlt.

Meine Schlussfolgerungen waren immer gleich – Marsh war zu primitiv für mich, zu sehr Tier. Ich war ein Opfer meiner eigenen Phantasien geworden, und das nagte an mir. Ich hatte wie er sein wollen, das weibliche Gegenstück seiner ungezähmten Männlichkeit. Eigentlich wollte ich das immer noch sein, aber dann musste ich akzeptieren, dass ich mir alles selbst zuzuschreiben hatte.

Ich drehte mich im Kreis und kam zu keiner Lösung. Aber das Thema hörte nicht auf, mich zu beschäftigen.

Meine Aktion selbst sah ich ebenso unschlüssig. Einmal sagte ich mir, dass ich für sehr wenig sehr viel riskiert hatte. Auf der anderen Seite sagte ich mir, ich hatte mir ein Abenteuer gegönnt, an das ich noch lange fröhlich zurückdenken würde. Ich redete mir ein, ich wollte es bei diesem einen Mal belassen und nicht wieder losziehen, aber als ich am folgenden Abend die Sonne hinter den Bäumen untergehen sah, wünschte ich mir nichts sehnlicher, als wieder da draußen zu sein.

Ich wäre vielleicht sofort losgezogen – obwohl ich mir vorstellen konnte, dass Marsh auf der Lauer lag –, wenn Emma nicht gekommen wäre. Sie war allein und begrüßte mich mit ihrem großen offenen Lächeln, und ich beschloss spontan, ihr von Marsh und Toby Paxham-Jennings zu berichten. Aber natürlich nichts von meinem Wildern. Ein Geheimnis ist kein Geheimnis mehr, wenn zwei davon wissen.

Ich bereitete Kaffee zu, fragte nach Ray, neckte sie, weil ich sie quieken gehört hatte, und ging dem anderen Thema eine halbe Stunde lang aus dem Weg.

»Ich muss dir was gestehen, Emma.«

»Oh, ja, hoffentlich was Unanständiges.«

»Nun, so richtig unanständig ist es nicht. Gestern war ich spazieren und habe Marsh getroffen. Ich finde, er sieht phantastisch aus.«

»Ian Marsh? Er sieht wie ein Gorilla aus!«

»Nein, das stimmt nicht.«

»Aber doch! Juliet! Und ich habe gedacht, du bist eine gesittete junge Lady.«

Sie imitierte meine Sprechweise, und ich streckte ihr die Zunge heraus. Sie schüttelte den Kopf.

»Gib dich nicht mit ihm ab, Juliet. Er ist nicht dein Typ.«

»Ich weiß. Ich werde mich nicht mit ihm abgeben, aber ich kann es nicht ändern, dass ich scharf auf ihn bin.«

»Vergiss ihn. Er ist ein Arschloch.«

»Warum? Ich meine, okay, er sieht ein bisschen derb und vielleicht auch brutal aus, aber ...«

»Womit soll ich anfangen? Er ist ein Schwein. Einmal hat er sogar auf Danny geschossen.«

»Nein!«

»Doch. Okay, nicht direkt auf ihn, sondern über seinen Kopf hinweg, aber trotzdem war es verdammt leichtsinnig. Man erzählt sich auch, dass er mit siebzehn schon ein junges Mädchen geschwängert hat. Sagt jedenfalls Luke.«

»Okay, ich habe begriffen«, sagte ich. »Ich muss dir noch was erzählen. Morgen Abend bin ich zum Abendessen im Alderhouse.«

»Du machst Witze.«

»Nein. Ich habe Toby Paxham-Jennings getroffen, und er hat mich eingeladen.«

»Bogus Tobus? Oh, Mann.«

Sie verschränkte die Arme vor der Brust und sah mich missbilligend an. »Also, Juliet, lass mich zusammenfassen. Ich habe dich vor zwei Kerlen in unserer Gegend gewarnt. Auf den einen bist du scharf, und mit dem anderen hast du eine Verabredung.«

»Es ist keine richtige Verabredung, sondern eine Einladung zum Abendessen, das er für seine Jagdgesellschaft gibt.«

»Es ist ein Date, und das weißt du auch. Gib doch zu, dass er dich mag.«

»Nein, glaube ich nicht. Er ...«

»Oh, ja, klar. Weißt du, die Leute im Alderhouse sind so steif, dass man glaubt, sie hätten sich einen Fahnenmast in den Arsch geschoben. Wenn er dich zum Abendessen einlädt, will er mit dir ins Bett.«

»Aber so ist es nicht! Granny war sein Kindermädchen.«

»Das weiß ich. Sie hat ihn für einen verwöhnten Bengel gehalten.«

»Er hat sehr lieb von ihr gesprochen.«

Emma verzog das Gesicht, nippte am Kaffee und sagte dann: »Du gehst also hin?«

»Ja.«

»Und wirst du ...?«

»Werde ich was?«

»Mit ihm ins Bett gehen.«

»Nein. Er ist ... oh, ich weiß nicht. Ich kriege Marsh nicht aus dem Kopf. Du sagst, er heißt Ian?«

»Vergiss ihn, Juliet, und geh lieber mit Bogus Tobus in die Kiste.«

»Warum? Ich denke, du kannst ihn nicht ausstehen. Du hast ihn übel beschimpft.«

»Ja, aber wenn du dich mit ihm liierst, kannst du deine Blowjobs rationieren, falls er Dad wieder Ärger macht«, sagte sie und sah mich feixend an.

»Na, vielen Dank, Emma.«

Sie lachte. »Wenn du dir unbedingt das Hirn aus dem Kopf vögeln lassen willst, solltest du mit mir in die Royal Oak gehen. Einige von Rays Freunden sind okay. Wir würden einen herrlichen Abend erleben.«

»Ja, danke, ich komme vielleicht darauf zurück.«

»Später kommt Ray. Ist das okay?«

Ich nickte, und so wurde ich erneut dem vertrauten Mix von quiekenden Geräuschen ausgesetzt, während ich versuchte, mir über meine Gefühle klar zu werden.

Am nächsten Tag zog ich mich gar nicht erst an und überließ es Emma, sich um die Tiere zu kümmern, während ich im Bademantel unruhig durchs Haus irrte. Die Pilze trockneten fein, und jedes Mal, wenn ich nach ihnen sah, war es unmöglich, nicht an die wunderbaren Exemplare zu denken, die da draußen noch unter den hohen Buchen wuchsen. Die Paxham-Jennings wussten nichts mit ihren Schätzen anzufangen. Wieder, glaubte ich, wäre ich sofort losgezogen, wäre da nicht die Einladung zum Abendessen gewesen.

Ich wollte leuchten oder wenigstens auffallen. Es war die Gelegenheit, meine neuen Klamotten zu tragen, ein wunderschönes Seidenkleid im Stil der dreißiger Jahre, ein Gedicht aus feinster Gaze mit einem eingewobenen Silberfaden, der zu einem effektvollen Spinnennetz gesponnen war, komplett durchsichtig, aber darunter ein Futter aus blasser taubengrauer Seide. Der erste Eindruck des Kleids war gediegene Eleganz, aber beim zweiten Blick erkannte man, dass es nichts als eine Provokation war.

Dazu trug ich Seidenstrümpfe, lange Spitzenhandschuhe, die ideal zum Kleid passten und die Kratzer verbargen, die ich mir bei meiner Flucht durchs Unterholz zugezogen hatte. Ein grauer Seidenschal, silberne Lederslipper und eine winzige Tasche vervollständigten meine Garderobe – es blieb nur noch das Problem, wie ich Alderhouse erreichte.

Meine Schuhe waren denkbar ungeeignet für einen Fußmarsch über einen matschigen Weg, und Gummistiefel konnte ich zu meinem Kleid nicht gut tragen. Es schien auch albern, ein Taxi zu rufen, das fünf Meilen anfahren musste, um mich dann eine Dreiviertelmeile weit zu transportieren. Deshalb war Emma mein letzter Ausweg. Ich bat sie, mich mit dem Traktor zu fahren. Das war schon ein Bild für die Götter, ich in meinem Aufzug auf dem alten Traktor. Zum Glück sah uns niemand, und genau um Viertel vor acht sprang ich vom Traktor auf den Asphalt der Auffahrt des Alderhouses.

Ich hatte Alderhouse bisher nur von der Straße aus gesehen, ein großes, lang gestrecktes Haus, sehr symmetrisch, abgesehen von Efeu und Weinranken auf der einen Seite. Jetzt stand ich dicht davor und sah einen großen einstöckigen Flügel, der von den Bäumen verdeckt wurde, und dazu noch einen weiteren Anbau, der sich an den Flügel anschloss.

Wie so viele Gebäude in der Region war Alderhouse aus Flint und Ziegelsteinen gebaut, aber die Ecksteine und Treppen bestanden aus Sandstein. Das ehrwürdige Haus atmete Wohlhabenheit. Während ich durchs Tor ging, schritt ein stolzer Pfau über den kurz geschorenen Rasen.

Toby Paxham-Jennings begrüßte mich höchstpersönlich, perfekt gekleidet von der dunklen Fliege bis zu den polierten Lederschuhen. Er lächelte verlegen, was mich fragen ließ, ob Emma Recht damit hatte, dass er scharf auf mich wäre. Tobys Mutter war auch da, eine hoch aufgeschossene Frau, größer als ich, sehr elegant, ein bisschen kalt. Aber sie begrüßte mich mit einem ganz warmen Lächeln.

Ich wurde freundlich hereingebeten; ein Dienstmädchen nahm meinen Mantel, und Donald Paxham-Jennings küsste mich auf beide Wangen. Einen schrecklichen Moment lang fürchtete ich, er könnte eine peinliche Bemerkung über mein schlimmes Verhalten in meiner Kindheit machen, aber – falls er mich überhaupt erkannte – er behielt sie für sich.

Es war immer noch so, dass ich mir in seiner Gegenwart klein vorkam, und als man mich tiefer ins Haus führte, erwartete ich, dass er mir einen Vortrag über die Achtung des Eigentums anderer Leute hielt.

Das Speisezimmer befand sich im neuen Teil des Hauses; es war ein langer Raum mit hoher Decke und zwei wunderschönen Kronleuchtern. Auf den Mahagonitischen und den weißen Leinendecken betörten entzückende Blumenarrangements das Auge, und vom blitzenden Silber und Kristall fühlte ich mich wie geblendet. Es fiel schwer, nicht beeindruckt zu sein, und ich hoffte, dass Essen und Wein der üppigen Dekoration gerecht wurden.

Wenn das Haus Gediegenheit und alten Wohlstand ausstrahlte, so traf das auf die Gäste sicher nur bedingt zu. Draußen hatte ich protzige Autos gesehen, neu und teuer und voller Chrom. Nacheinander wurde ich Bankern, Maklern und anderen Menschen vorgestellt, die mit Geld zu tun hatten, wenn ich auch nicht immer verstand, womit sie ihr Geld verdienten. Nur zwei der Gäste – außer mir – waren weiblich, beide schlanke Karrieretypen, beide aus der Stadt.

Das ließ genug Raum für gut aussehende, wohlhabende junge Männer, die multiple Orgasmen versprachen. Viele waren witzig, modebewusst, eitel, arrogant und wahnsinnig von sich selbst überzeugt.

Im Gegensatz zu ihnen war Toby erdverbunden, und nach meinem zweiten Glas Grande Marque Champagner fragte ich mich, ob er eine so schlechte Wahl sein würde, wie Emma mich glauben gemacht hatte. Er verwickelte mich in interessante Gespräche, denn bei Tisch saß ich neben ihm. Er hatte mir den Stuhl zurechtgerückt, als wir uns niederließen, und ich nahm die höfliche Geste des Gastgebers dankbar an. Mit Spannung erwartete ich das Essen.

Es sollte eine Enttäuschung werden. Sie hatten Caterer engagiert, die vorgaben, genau zu wissen, was sie taten, aber das stimmte nicht. Wir begannen mit Lachsfilet, sehr einfach nur mit einer Zitronenscheibe serviert und ziemlich fad. Der Wein war ein Gewürztraminer, den sie in einem der größeren Discountläden im Elsass erstanden hatten – er passte sogar, denn er war so fad wie der Lachs.

Ich verbiss mir jeden Kommentar, weil es unhöflich wäre, und schließlich war das Essen nicht ungenießbar.

Aber dann fing Toby an. »Hmm, köstlich. Es geht nichts über Schlichtheit, findest du nicht auch, Juliet?«

Ich konnte dem Köder, den er ausgelegt hatte, nicht widerstehen. »Ich würde dir gern zustimmen, und bei wirklich gutem Lachs reicht die geringste Beilage. Aber dies hier ist Zuchtlachs ... entschuldige, ich wollte nicht unhöflich sein.«

»Oh.«

Ich hörte die Enttäuschung in seiner Stimme, und ich versuchte sofort, mich zurückzunehmen. »Entschuldige, Toby, ich hätte das nicht sagen dürfen. Bevor ich ins Cottage gezogen bin, habe ich eine Ausbildung zur Küchenchefin begonnen, und seither bin ich ein Eiferer, was Essen angeht, vielleicht sogar ein Snob, also höre gar nicht auf das, was ich sage.«

Er strahlte übers ganze Gesicht. »Du brauchst dich doch nicht zu entschuldigen. Ich weiß, was du meinst. Es geht nichts über einen frisch gefangenen Lachs.«

Ich lächelte ihn an. »Ja, stimmt.«

»Ja, aber ich muss auch praktisch denken. Wir bedienen uns einer Cateringfirma aus Reading. Sie ist effizient, aber wenn sie diese Massen beköstigen muss ...«

»Massen? Das sind keine Massen, Toby. Wie viele Gäste sind wir? Fünfundzwanzig?«

»Ja, meist sind es so viele wie heute Abend.«

»Also, das ist keine Massenabfertigung. Davon spricht man, wenn man Schulkantinen oder Krankenhäuser beliefert. Aber Gruppen in dieser Größenordnung, für die würde ich allein in der Küche stehen wollen. Wenn ich nicht vorher schon was zubereiten kann, brauche ich für den Abend noch eine Assistentin. Und ich würde nicht an Beilagen und Zutaten sparen.«

Er nickte. »Wir wollen gar nicht sparen, denn wir wollen unseren Gästen Luxus bieten. Wir lassen uns das Programm mit Jagden, Essen und Unterkunft gut bezahlen.« Er beugte sich näher zu mir und raunte: »Manchmal glaube ich, die Hälfte der Leute würde sich gar nicht dafür interessieren, wenn wir nicht so teuer wären.«

Ich wusste, was er meinte. Im *Seasons* hatte es oft Gäste gegeben, die lauthals den ›teuersten Champagner‹ forderten. Bei diesen Prahlhälsen ist es schon verführerisch, die Preise anzuheben.

Toby sah mich lächelnd an, es war wie ein Lächeln unter Verschwörern.

Plötzlich entstand ein Band zwischen uns, ein Gefühl geteilter Erfahrungen. Ich erwiderte sein Lächeln und empfand ein Gefühl von Wärme, die sich in meinem Brustkorb ausbreitete. Der Mann auf Tobys anderer Seite fragte ihn etwas über die morgige Jagd, und Toby wandte sich ihm zu.

Der Hauptgang wurde serviert. Es gab zwei Gerichte zur Auswahl, Lammkeule oder Fasan, beide mit irgendeinem Gemüsegemisch. Ich entschied mich für den Fasan, trotz der gedrückten Form des Vogels, die mir verriet, dass er eingefroren gewesen war, was nun wirklich seltsam war auf einem Gut, das sich ein eigenes Fasanengehege hielt. Ich nahm einen Bissen und schluckte ihn mit Cru Bourgeois hinunter, dann wandte ich mich an meinen Tischherrn.

»Warum friert ihr die Fasane ein?«

»Es sind keine Tiere von uns. Die Caterer bringen alles mit, verstehst du?«

Ich konnte nur lachen und mochte kaum glauben, was ich hörte.

Toby fuhr fort, und es klang, als wollte er sich verteidigen: »So steht es im Vertrag.«

»Im Vertrag?«

»Ja.«

»Ihr schießt also fünfzig oder sechzig Fasane am Tag und ...«

»Oft sind es über hundert am Tag. Wir haben unsere eigene Aufzucht, und der Wildhüter setzt genug Tiere frei, um uns bei Laune zu halten. Die Treiber sorgen dafür, dass wir sichere Ziele haben. Das ist auch schon gut so, heutzutage kann man nicht ohne weiteres auf die Treiber schießen.«

Er gab ein trockenes Lachen von sich, brach abrupt ab und sagte: »Entschuldige, das war nicht witzig. Es ist einer von Daddys Scherzen.«

»Schon gut. Ihr holt also in der Woche mehrere hundert Fasane vom Himmel, und dann esst ihr tiefgefrorene Ware. Was macht ihr mit euren eigenen?«

»Wenn es eine Nachfrage gibt, verkaufen wir sie, aber oft erlöst man so wenig, dass sich die Mühe nicht lohnt. Unser Wildhüter entsorgt den Rest.«

Das hatte ich befürchtet. Ich schüttelte den Kopf, aber ohne die Wut, die ich erwartet hatte. Wärme, Essen, Wein und männliche Gesellschaft milderten jede scharfe Reaktion. Toby bekam von meinen widerstreitenden Gefühlen nichts mit.

»Ist der Fasan denn nicht gut?«, fragte er.

»Tiefgefrorenes ist nie gut, Toby. Das Einfrieren zerstört die Zellstruktur, außerdem hat der Vogel nicht richtig abgehangen. Entschuldige, dass ich so viel kritisiere.«

»Kein Grund, dich zu entschuldigen. Was würdest du tun?«

»Ganz einfach. Zuerst muss der Vogel abhängen, dann wird er zubereitet, dressiert und gefüllt, vielleicht mit Pilzen und …«

»Mit welchen Pilzen?«

»Champignons, Pfifferlinge, Steinpilze …«

»Gibt es die bei uns, oder müssen wir sie aus Frankreich importieren? Dann sind sie entsetzlich teuer, und unser Budget ist natürlich beschränkt.«

»Importieren? Nein …« Ich brach ab, denn mir wurde bewusst, dass Toby keine Ahnung hatte, was sein Wald alles hergab.

»Gut, die Pilze sollte man nur in der Saison nehmen, dann sind sie nicht so teuer. Dann wickle ich den Vogel mit einer dünnen Scheibe Schinken ein und brate ihn, die Brust nach unten, damit das Fleisch so saftig wie möglich bleibt.«

»Mit einer Sauce?«

»Am liebsten serviere ich sie nur in ihrem eigenen

Saft. Ich habe gesehen, dass eure Fasane ziemlich fett sind, du solltest sie auf Diät setzen.«

Es sollte ein Witz sein, aber er nahm meinen Vorschlag sehr ernst. »Oh, nein, sie müssen so fett sein, sonst haben unsere Gäste nicht genug auf dem Teller.«

»Oh.«

»Du bietest Sauce also nur an, wenn das Fleisch nicht die beste Qualität hat?«

»So weit würde ich nicht gehen. Aber wirklich gutes Fleisch sollte seinen eigenen Geschmack entfalten können, es sei denn, man kombiniert es mit etwas, das den Geschmack noch intensiviert. Und wenn das Fleisch nicht so gut ist, dann muss ich natürlich eine Sauce reichen. Wenn ich zum Beispiel Truthahn aus einer Massenhaltung zubereiten muss, weiß ich, dass das Fleisch nach absolut nichts schmeckt. Also muss ich eine Sauce anbieten, die den Gaumen des Gastes kitzelt.«

»Raffiniert.«

»Nun, es ist keine Erfindung von mir. Du kennst doch Meerrettichsauce, die traditionell zu Rind gereicht wird, weil sie einen so starken Eigengeschmack hat, dass sie sogar den Geruch von Rind zudeckt, das schon hinüber ist. Deshalb darf man ein gutes Lendenstück zum Beispiel nie mit Meerrettichsauce servieren.«

»Ich liebe Meerrettich.«

»Ich auch, aber alles zum passenden Gericht.«

Er nickte nachdenklich, dann fuhr er fort. »Eh, darf ich dich denn noch fragen, was du von unserem Wein hältst?«

»Ich glaube, darauf antworte ich besser nicht.«

»Mach schon. Du bist dabei, mich abzuhärten.«

»Wie soll ich's sagen? Abfall?«

»Wirklich? So schlecht?«

»Vielleicht ist das eine leichte Übertreibung. Beim Champagner zahlst du das meiste Geld für den Namen. Der Lachs passt nicht zum Gewürztraminer; selbst wenn beide gut sind, ist es eine Kombination, die kein Gaumen erträgt. Der Médoc war gut, aber vergeudet.«

»Du hältst mit deiner Meinung wirklich nicht hinterm Berg. Aber warum hältst du den Médoc für vergeudet?«

»Er ist zu jung. In zehn Jahren wird er köstlich sein. Claret muss reifen, das liegt in der Natur der Trauben. Cabernet Sauvignon, Cabernet Franc und sogar der Merlot sind alles Trauben mit dicken Häuten und vielen Kernen, deshalb enthalten sie eine Menge Tannin – und aus diesem Grund brauchen sie eine lange Zeit für die Reife. Es gibt moderne Techniken, um den Tanningehalt auszutreiben, aber dadurch erzielt man nur einen faden Wein. Mag sein, dass der eine oder andere noch viel Frucht hat, aber er hat keinen Charakter.«

»Was hättest du denn serviert?«

»Da liegt das Problem. Ich weiß, was ich gern gekocht hätte, aber es wäre verboten teuer gewesen. Du würdest besser abschneiden, wenn du eine Weinkarte mit individuellen Preisen vorlegst.«

»Das ist ein guter Gedanke, aber wir verlangen einen Betrag für alles inklusive, und die einzelnen Speisen und Getränke liefert der Caterer.«

»Mit einem hohen Profit.«

»Das nehme ich an. Sag mal, ich weiß, es kommt ein bisschen plötzlich, aber hättest du Lust, für uns zu arbeiten? Du könntest unsere Küche managen. Ich gestehe freimütig, dass ich von der ganzen Sache keine Ahnung habe.«

»Danke, aber nein. Noch vor ein paar Monaten hätte ich dankbar zugegriffen, aber – nimm es mir nicht übel – ich arbeite nicht mehr für andere Leute. Das liegt hinter mir.«

»Ich nehme es dir natürlich nicht übel. Du bist eine Frau nach meinem Geschmack, Juliet. Weißt du, zu meines Großvaters Zeiten hat unser Land genug für die Familie und ein Dutzend Dienstboten abgeworfen. Er verbrachte seine Zeit, wie es ihm gerade gefiel – Spaziergänge, Jagden und solche Dinge. Er sammelte Motten.«

Er stieß einen langen Seufzer aus, wohl kaum aus Sympathie für die Motten, sondern eher aus Neid auf den Lebensstil seines Großvaters.

Teller mit Käse und Brot wurden nach dem Hauptgericht gereicht, und Toby fuhr fort: »Die Erbschaftssteuer hat uns das Genick gebrochen. Warum nennen sie es so, wenn es sich in Wirklichkeit um Raubrittermethoden handelt?«

Ich antwortete nicht, nahm ein Stück Stilton und eine Scheibe des französischen Brots. Mein Gefühl sagte mir, dass er zu egoistisch argumentierte, denn es war das Dutzend unterbezahlter Dienstboten, das dem Großvater das spaßorientierte Leben garantierte, während er auf Mottenjagd gehen konnte. Aber ich wollte nicht mit diesem Thema anfangen.

»Du scheinst dich aber doch recht erfolgreich durchs Leben zu schlagen, auch wenn du keinen anständigen Caterer gefunden hast«, sagte ich lächelnd.

»Nun ja, ich will nicht klagen, aber es ist nicht mehr so wie früher. Der Besitz gehört jetzt einer Gesellschaft mit beschränkter Haftung. Dadurch schützt sich die Familie vor allzu großem Risiko, obwohl ich auch davon nicht viel verstehe. Aber erzähle mir von dir. Du hast dich in einer ländlichen Idylle niedergelassen, aber wird es dir nicht langweilig?«

»Bisher noch nicht.«

»Aber womit vertreibst du dir die Zeit? Welche Unterhaltung hast du?«

Ich stopfte rasch ein gefährlich großes Stück Stilton mit Brot in den Mund, denn ich ahnte, dass er nicht hören wollte, ich hätte mir das Hobby ausgesucht, in seinem Wald zu wildern. Er wartete höflich, bis ich meinen undamenhaften Bissen gekaut und geschluckt hatte.

»Verschiedene Dinge. Noch ist alles wie ein großes Abenteuer für mich. Wunderbar, morgens nicht aufstehen zu müssen. Jedenfalls nicht, um pünktlich auf der Arbeitsstelle zu sein. Ich habe zwei Ziegen und elf Hühner.«

Ich hätte noch weiter erzählt, aber wieder nahm einer der anderen Gäste seine Aufmerksamkeit in Anspruch, und er musste den Gastgeber spielen. Ich aß den Käse auf und fühlte mich satt, obwohl ich schon enttäuscht war, dass es keinen Pudding gab. Stattdessen ging es gleich zum Port über. Toby und seine Eltern teilten die Gäste sehr geschickt in eine Raucher- und in eine Nichtrauchergruppe ein. Ich widerstand der Versuchung, nach einer der angebotenen Zigarren zu greifen, und schloss mich der Nichtrauchergruppe an.

Toby hatte eine Zigarre genommen, aber er steckte sie in die Tasche und folgte mir. Offenbar wollte er vermeiden, dass ich mit anderen Männern in Kontakt geriet.

Er war interessiert, dessen war ich sicher. Mir gefiel die Aufmerksamkeit, nicht nur von ihm, sondern auch von einigen anderen Männern. Ich hatte schon einen gehörigen Alkoholspiegel erreicht und spürte ein gewisses Kribbeln zwischen meinen Schenkeln. Ich fing an, unverblümt mit Toby zu flirten, beschränkte meine Blicke aber nicht auf ihn.

Als die Stimmung auf dem Höhepunkt war, begann der große Aufbruch. Drei Männer hatten mir eindeutige Angebote gemacht, und ich sah, dass Toby ziemlich nervös geworden war. Ich war durchaus bereit, es mit ihm zu versuchen, aber er sollte sich gefälligst bemühen, wenn er mich haben wollte. Schließlich gelang es ihm, mich abzufangen, als ich von der Toilette zurückkam. Er hielt meinen Mantel in der Hand.

»Möchtest du auch nach Hause, Juliet?«

Ich war wie vor den Kopf gestoßen, denn ich war davon ausgegangen, dass ich bis zum Schluss blieb und er mich dann ins Bett überreden wollte.

»Willst du denn, dass ich gehe?«

Er sah mich verwirrt an.

Ich seufzte, und alle Gedanken, mich von ihm verführen zu lassen, waren dahin. »Also gut, aber ...«

Ich sprach den Satz nicht zu Ende. Er half mir in den Mantel und sah mich bedeutungsschwer an.

»Ich bringe dich natürlich nach Hause.«

Ich verstand – oder hoffte es zumindest. In meinem Cottage würden wir ganz allein sein. Aber vielleicht war er auch nur galant. Ich hoffte, dass er es nicht war. Ich hoffte, er wollte mich nackt und willig und ...

Er führte mich hinaus und steuerte mich am Arm zu dem Jaguar, der zwischen den anderen Autos stand. Er hielt mir die Tür auf, und ich schlüpfte auf den Beifahrersitz. Ich legte mich zurück und hatte unanständige Gedanken über Sex im Auto. Vielleicht war es einfacher, ihn in seinem Jaguar zu verführen als in meinem Cottage.

Die Fahrt dauerte nicht lange, und niemand von uns sagte etwas. Ich führte das auf seine gespannte Erwartung zurück. Er hielt vorm Cottage an, stieg aus und öffnete die Tür. Er sah unschlüssig aus, aber das wollte ich gar nicht erst zulassen.

»Könntest ... eh, könntest du mich vielleicht tragen, Toby? Sonst ruiniere ich meine Schuhe.«

Er lächelte und bückte sich. Ich wurde in seine Arme gehoben und musste fortwährend kichern, als er versuchte, die Tür mit dem Fuß zuzuschlagen, denn dabei wäre er fast – mit mir – in den Matsch gefallen. Er grinste und stieß mit meinem Po das Gartentor auf.

»He!«, rief ich klagend.

»Besser ein blauer Fleck am Hintern, als uns im Matsch wiederzufinden.«

Er setzte mich auf der Veranda ab. Das Licht der Außenlampe war angegangen, und wir sahen uns an, unsere Köpfe nur Zentimeter voneinander entfernt, seine Hände noch auf meinen Hüften. Einen Moment lang vibrierte was zwischen uns, und er wollte was sagen, zögerte aber. Der Moment schwand, und was er dann sagte, war nicht das, was ich hören wollte.

»Es tut mir Leid, dass dir das Essen nicht geschmeckt hat, Juliet.«

»Oh, ich bin es, die sich entschuldigen muss. Außerdem hat mir das Essen gefallen, die Gesellschaft, meine ich.«

Da war dieser Moment wieder, wir sahen uns an, aber wir sprachen nicht. Er küsste mich, es war nur ein kurzer, flüchtiger Kuss auf meinen Mund. Ein warmes Gefühl mischte mich auf, es trieb eine sanfte Röte auf meinen Hals und den ganzen Brustkorb, es breitete sich sogar im Bauch aus und drang bis zu meinem Schoß vor.

Ich musste es tun, ich wollte es. Wenn er schüchtern war, konnte ich es nicht auch sein.

»Willst du auf einen Kaffee mit ins Haus kommen?«

»Nicht für mich, danke.«

»Willst du denn mit hereinkommen und mit mir schlafen?«

Er antwortete nicht, und einen schrecklichen Moment lang fürchtete ich, ich hätte alle Signale falsch gedeutet. Dann neigte er sich zu mir, und plötzlich lag ich in seinen Armen, und er drückte seinen Mund auf meinen.

Ich reagierte sofort und öffnete unter dem festen Druck meine Lippen. Ich wollte seine Zunge in mir spüren, aber als er die Hände auf meine Pobacken presste, wich ich mit dem Oberkörper zurück.

»Nicht hier, Toby. Gehen wir hinein.«

Er nickte, und während ich den Schlüssel im Loch drehte, fand seine Hand wieder meinen Po und drückte genüsslich zu. Ich ließ ihn fummeln und reiben, denn sein jungenhafter Enthusiasmus machte mich scharf.

Die Tür schwang weit auf, und wir traten gemeinsam ins Haus. Er legte die Hände von hinten um meine Brüste, hielt sie fest und drückte seine Lippen auf meinen Nacken. Nach diesem Kuss löste ich mich von ihm, denn obwohl ich ganz schön betrunken war, wollte ich mein schönes Kleid nicht riskieren.

»Ins Schlafzimmer, Toby«, raunte ich. »Hab Geduld und lass mich mich erst einmal ausziehen.«

»Soll ich eh ... draußen warten?«

Ich schüttelte den Kopf, griff ihn an der Krawatte und zog ihn sanft ins Zimmer. Der Krawattenknoten löste sich, aber Toby folgte mir artig. Ich zog ihn an mich und küsste ihn, während meine freie Hand in seinen Schritt griff.

Ich spürte seinen Adamsapfel hüpfen, als er schwer schluckte, und ich musste verzückt lächeln. Ich trat einen Schritt zurück und streifte die Träger meines Kleids von den Schultern. Eine kurze Bewegung, und schon rutschte das Kleid von den Schultern.

Der sanfte Stoff schmiegte sich noch um meine Brüste. Ich zupfte an der Spitze im Dekolleté, und im nächsten Moment schoben meine Brüste den Stoff auseinander, und dann glitt er hinunter und enthüllte meinen Busen, der sich immer schneller hob und senkte.

Er schluckte wieder, und ich sah, wie seine Hand zum Schritt griff, um die Beule zu richten, de seine stramme Erektion in seiner Hose gebildet hatte. Ich grinste froh und wies auf seinen Schritt.

»Du bist dran.«

Er starrte mich lüstern an, aber in seinem Blick lag auch Verlegenheit. Trotzdem fuhr er mit den Händen zum Hosenstall seiner Smokinghose. Er knöpfte sie auf, und gespannt fuhr ich mit der Zungenspitze über meine Lippen, als er mit einer Hand in die Hose griff.

Er legte alles bloß, Penis und Hoden. Eine stattliche Größe, nicht gerade umwerfend, aber schön geformt, glatt und blass und gerade. Ich streckte eine Hand aus und griff nach ihm. Er fühlte sich heiß in meiner Hand an, heiß und hart. Er wollte sich das Jackett ausziehen, aber ich schüttelte den Kopf.

»Nein, bleib so. Ich will nur sehen.«

Es war ein phantastisches Bild, wie er so feierlich gekleidet vor mir stand und die Erektion und die prallen Hoden aus der Hose lugten. Während ich ihn streichelte, streifte ich mir das Kleid ab und ging vor ihm auf die Knie. Ich drückte den harten Schaft gegen meine Wangen, atmete seine herbe Männlichkeit ein, und erst als ich mich nicht mehr zurückhalten konnte, nahm ich ihn in den Mund.

Sein Geschmack füllte meinen Kopf, und dann begann ich zu saugen und labte mich an dem Gefühl, einen Schwanz im Mund zu haben. Ich spielte mit den Hoden, befühlte den gespannten schweren Sack und reizte ihn mit meinen Fingernägeln. Es wäre ganz leicht gewesen, ihn tiefer aufzunehmen und alles zu trinken, was er anzubieten hatte, während ich meine Pussy rieb, aber ich wollte mehr.

Ich ließ ihn aus meinem Mund flutschen und erhob mich, um ihm in die Augen zu schauen. Er nahm mich wieder in die Arme und drückte mich fest. Seine Hände kitzelten meinen Nacken und bewegten sich dann langsam tiefer. Ich kuschelte mich an ihn, als er über meinen Po streichelte. Sein harter Schaft presste sich gegen meinen Bauch. Die kräftigen Hände kneteten meine Backen, und die Finger drangen in die Kerbe ein. Ich zuckte leicht, als er über meinen Anus strich, und ich fragte mich, ob er darauf stand. Dann waren seine Hände wieder auf meinen Hüften, er drehte mich herum und führte mich zum Bett.

Es gab keinen Zweifel, wie er mich haben wollte, und ich ließ es geschehen, krümmte den Rücken und streckte den Po in die Luft – es sollte eine Pose sein, an der er sich erfreuen konnte. Ich hörte einen frohlockenden Laut aus seiner Kehle dringen, die reinste Leidenschaft.

»Wunderschön.«

Die schiere Lust in seiner Stimme ließ mich lächeln, dann fing ich an zu kichern. Es war ein nervöses Kichern, und die kleine Öffnung zwischen den Backen begann alarmiert zu zucken. Meine Pussy war bereit und voller Not, sie lechzte nach ihm.

Aber er ließ sich Zeit, streichelte wieder über die Backen, drang in die Kerbe ein, drückte, rieb und strich. Ab und zu ein kleiner Klaps auf die Backen. Dann zog er sie plötzlich weit auseinander, und ich schnappte nach Luft.

Mein Po und mein Schoß mussten ihn anlachen, und dann spürte ich auch schon, wie sein Penis gegen die Backen stieß und nach einem Eingang suchte. Ich drückte dagegen, um ihn einzulassen, riss den Mund auf und spürte, wie der Peniskopf eindrang.

Diesmal war ich an der Reihe, meine Gefühle zu zeigen, als seine volle dicke Länge in meinen Körper glitt, mich dehnte, mich öffnete und füllte. Dann zog er sich langsam zurück. Wieder hinein, tiefer und härter, wieder und wieder, schneller und schneller, bis meine gespreizten Finger ins Laken griffen und ich wieder nach Luft rang.

Er hielt sich an meinen Hüften fest, während er pumpte. Er zog mich in seinen Körper, stieß wild in mich hinein, und die harten Muskeln seiner Schenkel und sein Bauch klatschten immer wieder gegen meine Backen. Einen ekstatischen Moment lang glaubte ich, er würde alles in mich hineinpumpen, aber dann war er draußen, ich spürte sein Zittern, und sein heißer Samen prasselte auf meinen Po.

Ich brach vor lauter Schwäche ein, konnte mich nicht mehr halten und ließ mich bäuchlings aufs Bett fallen, keuchend, benommen vor Lust, und meine Hand schlich sich dahin, wo sie gebraucht wurde.

Noch außer Atem hörte ich ihn sagen: »Es war … es tut mir Leid.«

»Warum denn das? Das war gut. Ich muss nur noch ein bisschen …«

»Nein, ich meine, dass ich so schnell gekommen bin. Ich ...«

»Schon gut, Toby. Lass mich nur ...«

Er griff nach meinen Beinen und rollte mich auf den Rücken, und ich präsentierte ihm meinen offenen Schoß. Er zögerte keinen Moment. Er lächelte, ging auf die Knie, seine Zunge fand meine Klitoris, und ich fühlte mich wie im Paradies. Ich griff an meine Brüste, hielt sie umfangen und ließ die Finger über die steifen Hügel meiner Warzen gleiten.

Das macht er nicht das erste Mal, dachte ich erfreut, als seine Zunge über die Klitoris huschte, so schnell, so geschickt. Er schien genau zu wissen, wie er sie behandeln musste, zuerst zart und liebevoll, dann fester, bestimmter.

Es dauerte nur wenige Sekunden. Ich fühlte, wie sich die Muskeln meiner Pussy zusammenzogen, und dann war es auch schon so weit, mir kam es, und ich stöhnte meine Ekstase laut heraus.

Er hörte nicht auf, leckte schneller und fester, und ich krümmte den Rücken, meine Zehen verkrampften, und dann konnte ich es nicht mehr länger ertragen.

Ich schrie auf, ein kehliger Schrei der absoluten Hingerissenheit. Meine Beine schlossen sich wie Scheren um seinen Kopf, und ich fuhr auf dem Bett auf und ab, rieb mich an seinem Gesicht, während meine Finger sich ins Fleisch meiner Brüste gruben. Mein ganzer Körper glühte von der Intensität des Orgasmus.

Beinahe wäre ich ohnmächtig geworden, und für einen Moment lang sah ich alles in rote Farbe getaucht, aber dann gab sich das zum Glück wieder.

Toby erhob sich langsam, und irgendwie gelang es mir, meine Beine zu öffnen. Er lächelte von oben auf mich herab, und auf seiner Oberlippe sah ich einen leichten weißen Schnurrbart aus meinen Säften.

Ich musste an den echten weißen Schnurrbart seines Vaters denken und musste kichern. Ich öffnete lächelnd meine Arme, und er legte sich hinein, und wir kuschelten uns aneinander. Er küsste meinen Hals, dann meinen Mund.

Ich reagierte sofort, träge zwar, aber mit einem glücklichen befriedigten Lächeln.

Sechstes Kapitel

Toby schlief nicht bei mir; er wurde zurückerwartet, schließlich hatte er sein eigenes Programm als Gastgeber der Jagdgesellschaft. Mir wäre lieber gewesen, er hätte bleiben können, aber so schlimm war es auch nicht, denn wir kuschelten eine Stunde lang, ehe er aufbrach und mehr versprach. Als ich endlich einschlief, geschah dies mit einem zufriedenen Lächeln auf meinem Gesicht.

Typisch für mich – am nächsten Morgen ging es mir nicht so gut. Toby hatte mir klar gemacht, dass er eine Beziehung mit mir wünschte, aber ich war noch nicht bereit dazu. Wenn ich zu ihm gehörte, konnte ich mich nicht wie Lady Chatterley verhalten und Ian Marsh ausprobieren. Aber das wollte ich. Ich wollte wissen, was der Wildhüter hinter seinem derben Äußeren verbarg, was ihn zu diesem heidnischen Schrein trieb, und seine Liebe und sein Verständnis für die tiefen Wälder teilen.

Wenn ich offiziell Tobys Freundin war, konnte ich nach Herzenslust durch seinen Besitz schreiten. Zuerst hatte ich geglaubt, dass es das war, was ich wollte. Aber das stimmte gar nicht. Es wäre nicht dasselbe. Ich wollte den Kick des Verbotenen, wollte unerlaubt eindringen, wollte wildern.

Als Tobys Freundin würde Marsh mich nicht mehr mit Stöcken jagen. Nach außen hin würde er reserviert und höflich sein, aber in seinem Innern würde er mich ebenso verachten wie die Jagdparty. Sobald ich mich auf die Seite seiner Arbeitgeber geschlagen hatte, würde ich es schwer haben, eine gewisse Vertrautheit mit ihm zu erlangen, vielleicht würde es sogar unmöglich sein.

Auf der anderen Seite war Toby ein netter Kerl, und ich wollte seine Gefühle nicht verletzen. Ich wollte ihn auch nicht vor den Kopf stoßen. Während ich in meinem Bademantel in der Küche saß und meinen Kaffee schlürfte, sehnte ich mich nach dem unkomplizierten Bumsen meiner Collegezeit zurück. Es war so einfach gewesen; wir saßen alle mehr oder weniger in einem Boot, es gab kaum soziale Unterschiede, und wirkliche Eifersucht gab es auch nicht.

Ich war noch tief in Gedanken, als es ans Fenster klopfte. Emma. Sie hielt einen Korb mit Eiern hoch, den sie auf den Tisch stellte.

»Kaffee?«

»Ja, du Schlafmütze. Weißt du, wie spät es ist?«

»Halb zwölf.«

»Gute Party? Wie ist es denn mit Bogus Tobus gelaufen?«

»Würdest du ihn bitte nicht so nennen.«

»Oooohh.«

»Emma!«

»Du hast ihn also rangelassen?«

»Ja.«

»Oh, Juliet! Er ist bestimmt pervers, nicht wahr? Worauf steht er? Schmutzige Dinge?«

»Nein, er ist ...«

»Ich wette, er hat dich gefesselt. Nein, vielleicht doch nicht. Bei ihm, wette ich, sind es die Titten. Er wollte wie ein Baby saugen. Ich setze jede Summe.«

»Nein, hat er nicht.«

»Knebel? Hat er dich geknebelt?«

»Ich wünschte, jemand würde dich knebeln.«

»Hat er dir den Arsch versohlt? Und ich wette, du hast ihn gelassen.«

»Nein. Er ist süß. Vielleicht hat er sich ein bisschen zu lange mit meinem Po aufgehalten, aber . . .«

»Ich wusste es!«

»Nein, er hat mir nicht den Po versohlt. Ich dachte aber, er würde es vielleicht tun oder auf anal stehen und so.«

»In den Ar . . .? Oh, das Ferkel!«

»Nein, er hat es nicht getan, ich dachte nur, er wollte das, weil er mich in dieser Position haben wollte.«

»Sie alle stehen auf der Hundestellung, aber das heißt ja noch nicht, dass sie auch in deinen Hintern wollen.«

Nach meiner Erfahrung lief es aber oft darauf hinaus, aber ich verzichtete darauf, ihr das zu sagen. Also streckte ich ihr nur die Zunge heraus. Emma plapperte munter weiter, während ich ihr Kaffee einschenkte.

»So, wie geht es nun weiter? Ist es die große Liebe? Muss ich anfangen, für einen Toaster zu sparen?«

»Den Toaster bitte nicht. Aber im Ernst, Emma, ihm ist viel an mir gelegen, glaube ich, mehr, als mir derzeit an ihm liegt.«

»Na gut, dann lasse ihn an der langen Leine und pisse nicht in deine eigene Küche.«

»Wie, bitte?«

»Du sollst mit ihm ausgehen und drehst dein eigenes Ding, wenn du nicht mit ihm zusammen bist. Das geht, so lange du nicht was Dummes tust. Also keinen Kerl vernaschen, der es ihm brühwarm erzählt – man pisst ja auch nicht in der eigenen Küche. Hast du die Redensart noch nie gehört?«

»Nein. Aber es ist nicht so leicht. Ich ...«

»Du willst immer noch mit Ian Marsh ins Bett, nicht wahr?«

Ich hob die Schultern, denn ich hatte keine Lust, darüber zu diskutieren. Sie rührte den Zucker um, den sie sich in den Kaffee gelöffelt hatte, und schien sich dabei so sehr zu konzentrieren, dass sie erst wieder reden konnte, als sie damit fertig war.

»Marsh ist ein fauler Apfel, Juliet. Gefährlich.«

»Er ist derb und rau, ja, aber vielleicht steckt eine Menge mehr in ihm.«

»Nein, das kannst du mir glauben.«

Ich hob wieder die Schultern. Sie hatte Recht, er war gefährlich. Er hatte mir mit der Peitsche oder einem Stock eins übergezogen, und das würde ich ihm nicht so schnell vergessen. Aber das änderte nichts an meiner Ahnung, dass Ian Marsh ein Charakter war, der viel tiefer ging. Vielleicht wollte ich ihn auch nur deshalb, weil er gefährlich war.

Erst in diesem Moment begriff ich, dass Toby den Striemen quer über meine Backen gesehen haben musste. In meinem von Alkohol und Geilheit benebelten Kopf hatte ich das ganz vergessen. Der Schmerz war längst gewichen, aber der Striemen war noch da, und wahrscheinlich hatte er sich deshalb so lange mit meinem Po beschäftigt.

Er hatte nichts gesagt, aber warum hätte er was sagen sollen? Er hatte keinen Grund anzunehmen, dass ich geschlagen worden war, eher musste er angenommen haben, ich wäre gefallen. Aber wenn Marsh ihm berichtete, dass er einen Wilderer gejagt und ihm einen Schlag auf den Hintern versetzt hatte ...

Davon ging ich nicht aus. Schließlich hatte der Wilderer keinen Schaden angerichtet, und Marsh würde nicht gern zugeben, dass ihm ein Wilderer durch die Lappen gegangen war. Es war trotzdem ein beunruhigender Gedanke.

Emma nahm einen Schluck Kaffee, dann sagte sie: »Warum sagst du es ihm nicht frech ins Gesicht? Du lässt dich gern von ihm bumsen, aber du willst keine Beziehung eingehen. Wenn ich das meinem Ray sagen würde, wäre er wunschlos glücklich.«

Sie hatte Recht. Ich konnte nichts verlieren, wenn ich ehrlich zu ihm war. Ich würde bald zu ihm gehen und ihm reinen Wein einschenken.

Auf der anderen Seite sah es ziemlich großspurig aus, wenn ich etwas ablehnte, was er mir noch gar nicht angeboten hatte. Es war lediglich meine Interpretation seiner verschiedenen Aussagen gewesen, dass er es ernst mit mir meinte. Trotzdem wollte ich mit ihm reden und ihm sagen, dass ich meine Freiheit schätzte. Manchen Männern würde das gefallen, anderen nicht, und ich wusste nicht, zu welcher Sorte Toby gehörte.

»Ich weiß es nicht, Emma. Vielleicht würde es ihn verletzen, und das will ich nicht.«

»Dann pfeif auf ihn.«

Ich seufzte leise. Emma wollte mir helfen, und ich bewunderte ihre offene Haltung. Aber ich konnte mir nicht vorstellen, dass Toby eine offene Beziehung akzeptierte, erst recht nicht, wenn er erfuhr, dass ich seinen Wildhüter vögelte. Nein, ich musste mit ihm reden.

Emma blieb zum Mittagessen, und ich teilte das Omelette mit den wunderbaren Steinpilzen mit ihr. Ich hatte Ziegenkäse, den sie selbst zubereitet hatte, untergehoben und ein paar Kräuter aus dem Garten dazu gegeben. Es war ein köstliches Mahl, auch wenn man sich an Omelettes irgendwann mal satt gegessen hatte.

Als Emma zurück zur Arbeit gegangen war, hatte der Nachmittag schon begonnen. Aus den Gesprächen gestern Abend im Alderhouse wusste ich, wie das Programm ablief. Morgens die Jagd, danach das Mittagessen. Der Nachmittag stand den Gästen zur freien Verfügung. Sie konnten auf Kaninchenjagd gehen, im See angeln, Tennis, Kroquet, Snooker oder sonst was spielen.

Toby würde den Pflichten des Gastgebers nachgehen. Es war trocken, aber der Himmel war grau verhangen, und mit einigem Glück würde ich ihn zu Hause antreffen.

Ich zog mir rasch einen roten Pulli über und stieg in enge Jeans, beide betonten meine Figur, ohne aufdringlich zu wirken. Ein starker Wind schüttelte die Baumkronen und trieb schwere Wolken aus dem Westen heran.

Der Wind blies die letzten Spinngewebe aus meinem Kopf, und schnell hatte ich beschlossen, Emmas Rat zu befolgen. Wenn Toby nicht einverstanden war, würde unsere Beziehung so oder so ins Unglück führen. Ich kann mit Männern nichts anfangen, die ständig emotionale Unterstützung brauchen.

Ich erreichte die Brücke, die über die Autobahn führte, und sah, dass er mir entgegenkam. Es ist zwar eigenartig, aber aus Erfahrung weiß ich, dass es peinliche Momente geben kann, wenn zwei Leute sich begegnen, nachdem sie das erste Mal miteinander geschlafen haben. Wir hatten uns mit einem Kuss verabschiedet, nachdem wir eine Stunde lang gekuschelt hatten. Ich war nackt und kein bisschen verlegen gewesen.

Aber jetzt spürte ich, wie sich rote Farbe über meine Wangen ergoss. Ich biss mir auf die Lippen. Seine Reaktion war auch nicht viel besser. Er grinste dümmlich und brachte keinen Laut unfallfrei über die Lippen.

»I ... Ich ... eh ... wollte ... eh ... zu dir ... eh ... kommen, eh, um mich ... eh ... für die letzte ... eh ... Nacht zu ... eh ... bedanken. Ich eh ... meine ...«

Er brach ab, und mir gelang ein Lächeln. »Es war mir ein Vergnügen.«

»Wir ... eh ... haben gesagt ... eh ... wir wollten zusammen ... eh ... ich meine ....«

»Ja, sicher. Woran hast du ...«

Wir wurden von einem Geräusch unterbrochen, das entsteht, wenn Metall auf Holz schlägt. Toby drehte sich abrupt um, und sein Gesichtsausdruck veränderte sich. Ich drehte mich auch um und sah einen Mann auf den Fußweg treten – Ian Marsh. Toby ging an mir vorbei.

»Alles erledigt, Ian?«

»Alles erledigt, Sir.«

»Gut. Juliet, das ist Ian Marsh, unser Wildhüter. Er ist schon ein Original, unser Ian.«

Marsh bedachte mich mit einem knappen höflichen Nicken.

»Gestern Nacht keine Vorkommnisse, Ian?«

»Nichts, Sir«, antwortete er grimmig. »Ich habe noch zwei weitere Fallen aufgestellt, eine seitlich des eingezäunten Gebiets und eine andere entlang der Spur, die auf diesen Weg führt. Das war nämlich sein Fluchtweg.«

»Danke, ich werde darauf achten, Ian.« Dann wandte Toby sich an mich. »Ian hat vor ein paar Nächten einen Wilderer aufgescheucht, Juliet. In der Nacht nach der

Jagd auf die Fasane. Er wollte mit einem ganzen Sack voller Fasane abhauen.«

»Und haben Sie ihn gefasst?«, fragte ich Marsh direkt.

Toby lachte. »Er war zu schnell für unseren Ian, muss ich leider sagen.«

»Ich werde ihn schon noch schnappen.«

Marshs Antwort war entschlossen, aggressiv und äußerst zuversichtlich. Die Muskeln meiner Backen zogen sich aufgeregt zusammen, und der Striemen juckte. Ich hätte gern mehr gewusst, durfte aber keine auffälligen Fragen stellen, sonst brachte ich sie vielleicht noch auf eine Idee.

»Kommt es denn hier häufig zu Wildereien?«

Diesmal war es Marsh, der zuerst antwortete. Grimmig und abweisend. »Nein.«

Toby ergänzte: »Jetzt nicht mehr. Die Einheimischen haben Respekt vor Ian gelernt, und für die Banden, die aus der Stadt kommen, gibt es in anderen Wäldern leichtere Beute als bei uns. Aber dieser hier ist wirklich ein gerissener Bursche. Weißt du, was er sich geleistet hat?«

Die Frage war rein rhetorisch, hoffte ich.

»Nein.«

»Er hat sich während der Jagd hinter einem Baum im Wald versteckt. Ian hat Abdrücke seiner Stiefel gefunden. Dann, als wir unser Mittagessen einnahmen, hat er sechs Fasane unter einem Stechpalmengebüsch versteckt, und in der Nacht ist er zurückgekehrt, weil er dachte, niemand würde ihn sehen. Aber Ian hat seine Taschenlampe gesehen.«

»Ja, habe ich. Ein junger Bursche muss es gewesen sein. Ich werd ihn schon schnappen, wenn er den Mumm hat, es noch mal zu versuchen.«

»Ian ist ein richtiger Sherlock Holmes. Von der Größe der Stiefel und der Höhe seiner Gestalt schätzt er ihn auf höchstens vierzehn Jahre.«

Ich nickte nachdenklich. Wie ich geahnt hatte: Für sie konnte nur was Männliches ein Wilderer sein.

Marsh nickte und ging. Toby wartete kurz, bis er sich entfernt hatte, dann wandte er sich mir mit deutlich mehr Selbstbewusstsein als vorher zu.

»Entschuldige die Unterbrechung«, sagte er. »Wie ich schon sagte, ich würde dich gern ausführen. Es soll was Besonderes sein. Wie wäre es mit dem *Seasons?* Selbst du würdest da nicht enttäuscht sein.«

»Das *Seasons?* Eh ... ich weiß nicht. Ich lasse mich gern von dir ausführen, Toby, aber nicht ins *Seasons.*«

»Nein? Ich dachte, das wäre genau deine Kragenweite. Der Küchenchef, Blane, ist ein Genie.«

»Ja, sagt man, aber trotzdem ...«

»Du willst mir doch nicht sagen, dass auch er deinen Ansprüchen nicht genügt?«

Sein Tonfall grenzte an Ironie, als könnte es nur Heiterkeit auslösen, wenn ein kleines Mädchen wie ich den großen wunderbaren Gabriel Blane kritisieren wollte. Einen Moment lang wollte ich aufbrausen, aber dann hatte ich mich sofort wieder im Griff und brachte als Ausrede vor, was mir am meisten plausibel schien.

»Das ist es nicht, Toby. Aber ich wäre lieber mit dir allein als in der Menge. Komm zu mir. Ich koche für dich.«

»Das ist ganz süß von dir, und natürlich würde mir das gut gefallen, aber ich möchte dich einladen. Lass jemand anders die harte Arbeit tun – Englands besten Chef. Als ich das letzte Mal da war, habe ich ein schottisches Moorhuhn gegessen, mit Trüffelscheiben gefüllt und einer Sauce aus wilden Blaubeeren. Das hätte dir geschmeckt, Juliet.«

Ich selbst hatte sie mehrere Male zubereitet. Es war ein gutes, aber ziemlich schlichtes Rezept, und Anna und ich brauchten Blane nicht einmal, um letzte Hand anzulegen. Außerdem war nicht alles so echt, wie Blane so gern und oft behauptete. Er benutzte chinesische Trüffel, und die Blaubeeren kamen von einer Farm aus Kent.

»Ich koche gern, Toby, und ich kann es so gut wie Blane.«

Sein Lächeln war bestenfalls gönnerhaft.

»Doch, wirklich! Lass es mich doch versuchen!«

Er antwortete nicht sofort. Ich glaubte zu wissen, was ihm durch den Kopf ging. Er wollte mir sagen, dass ich größenwahnsinnig wäre, weil Blanes Standard nicht zu erreichen wäre. Aber natürlich sagte er das nicht, er wollte es sich so früh nicht mit mir verderben.

Also nickte er kurz und sagte dann: »Ja, gut, aber ich bestehe darauf, dass ich dir helfe.«

»Nein, nein, überlass alles mir.«

»Nun ...«

»Spring mal über deinen männlichen Schatten, bitte, Toby. Lass mich für dich kochen.«

Dieses Mal war sein Lächeln echt.

»Wie wäre es am Montag? Am Sonntag fährt die Jagdgesellschaft nach Hause, und am Freitag kommt eine neue Gruppe.«

»Dann wäre mir Mittwoch lieber. Es gibt da ein paar Dinge, die ich organisieren muss. Und jetzt sollte ich lieber gehen. Ich habe meiner Freundin Emma versprochen, sie in Ilsenden zu treffen.«

»Emma Thompson von der Bourne Farm?«

»Ja.«

»Oh. Also dann – bis später.«

Er trat näher, um mich zu küssen, und ich erwiderte seinen Kuss, aber meine Gefühle waren mehr als gemischt, als ich mich abwandte und den Weg weiterging.

Ich hatte ihm gesagt, dass ich nach Ilsenden wollte, deshalb musste ich dem Weg noch eine Weile folgen. Ich hatte keine Ahnung, wohin ich gehen sollte, denn meine Behauptung, ich wollte mich mit Emma treffen, war gelogen.

Aber eins stand fest: Toby hielt nicht viel von Emma. Er hatte sich diplomatisch verhalten und nichts gegen sie gesagt, aber seine wahre Reaktion war in seinem Gesicht abzulesen. Gut, es gab ein paar Grenzstreitigkeiten der Familien, aber das konnte doch nicht der Grund sein, auf sie hinabzusehen.

Seine Bemerkungen über Blane hatten mich auch geärgert, und ich war wild entschlossen, ihm zu zeigen, dass ich Recht hatte. Ich würde Blane nicht nur übertreffen, ich würde auch jeden Gang mit etwas anrichten, was ich vom Alderhouse'schen Besitz gestohlen hatte.

Tobys Verhalten war nicht der einzige Grund dafür, dass ich Dinge aus dem Wald holen wollte. Ich wollte mir auch beweisen, dass ich es schaffen konnte. Marsh war so überheblich gewesen, dass ich mich schwarz geärgert hatte – und gleichzeitig war ich in seiner Nähe feucht geworden.

Seit ich mit ihm gesprochen hatte, waren meine Gefühle für ihn noch stärker geworden, aber auch rätselhafter. Er zeigte sich von einer derben, rücksichtslosen Aggression, die mich eigentlich hätte abstoßen sollen, aber tatsächlich sprach sie alle meine Instinkte an. Einerseits wollte ich mich voller Verachtung abwenden, andererseits wollte ich mich für ihn öffnen.

Ich versuchte mir einzureden, dass Toby besser zu mir passte, dass er eher mein Typ Mann war. Das stimmte auch, zumindest hätte meine Mutter zugestimmt. Toby war ein bisschen arrogant, aber im Grunde ein netter Kerl. Marsh war alles andere als ein netter Kerl, er war sogar gefährlich, aber ein geheimnisvoller Mann mit intensiver Ausstrahlung.

Ohne diese geheimnisvolle Ausstrahlung wäre er nur ein weiterer ungeschlachter Kerl gewesen, der an meine niederen Instinkte appellierte, aber mehr nicht. Doch bei ihm wusste ich, dass er mehr hatte. Er verehrte einen heidnischen Schrein, was eine Tiefe verriet, die man seinem Äußeren nicht zutraute, und eine Verbindung zur Natur, die ein Echo meiner eigenen Gefühle zu sein schien.

Ich wusste, es war verrückt, aber ich wollte Zugang zu dieser Verbindung haben, ich wollte ihm näher kommen, ich wollte ihn zwingen, mich wahrzunehmen.

Also würde ich wieder wildern gehen, und diesmal würde ich meinen Beutezug gründlich planen.

Damit fing ich an, als ich einen großen Bogen nach Osten schlug und zum Cottage zurückging. Ich brauchte fast eine Stunde. Zuerst musste ich mir darüber klar werden, welche Dinge ich aus dem Wald brauchen konnte. Meine Zutaten für das Menu mussten regional und saisonal sein, womit ich Gabriel Blanes Philosophie folgte, was nur richtig sein konnte, wenn ich ihn übertreffen wollte.

Mindestens drei Gänge gehörten zu einem Menü, aber das genügte mir nicht. Blane bot meistens vier Gänge an, also würde ich fünf ... nein, sechs Gänge servieren. Suppe, Fisch, Wild, Hauptgang, Dessert und Käse. Das bedeutete, ich musste sechs verschiedene Zutaten aus Tobys Ländereien stibitzen.

Die Suppe war einfach genug. Ich hatte wunderbares Gemüse im eigenen Garten und konnte ein paar Parasolpilze oder Pfifferlinge stehlen, mit denen ich die Suppe anreicherte. Fisch war nicht so einfach. Ich konnte ihn kaufen und die gestohlenen Zutaten für die Sauce verwenden, aber das war nicht sehr befriedigend. Der See hinter Alderhouse war bestimmt gut besetzt, damit die Gäste was zum Angeln hatten. Hauptsächlich Karpfen, dachte ich, aber egal, was da schwamm, mein Fischgericht sollte aus dem See kommen.

Und dann das Wild. Neu gewilderte Fasane fielen aus, denn es blieb keine Zeit, sie gut abzuhängen. Aber ich hatte ja die beiden Tiere, die Emma mir gebracht hatte. Sie würden inzwischen genau richtig sein und füllten die Vorratskammer mit ihrem Aroma. Ja, als Wildgang waren sie mehr als nur geeignet. Mit dem einen konnte ich experimentieren, und den anderen würde ich servieren. Aber sie zählten nicht als gewildert. Luke hatte die Vögel auf dem Land seines Vaters geschossen, und das war sein Recht. Die Steinpilze aber zählten, und ich konnte sie verwenden, wie Gabriel Blane die Trüffel verwendete; ich würde sie in dünne Scheiben schneiden und den Vogel damit füllen.

Wenn der Wildgang schon Gabriels Moorhuhnrezept imitierte, musste ich mir für den Hauptgang was Einzigartiges und Exotisches einfallen lassen. Ich würde Toby den Fasan servieren und ihn im Glauben lassen, ich könnte Blane bestenfalls kopieren, aber niemals übertreffen. Und dann musste ich ihn mit dem Hauptgang frappieren.

Aber wie?

Ich brauchte Fleisch. In den Wäldern gab es genug Tiere, Ian Marsh zum Beispiel, aber ich hielt nichts von Kannibalismus, und außerdem hieß es, dass Menschenfleisch fad schmeckt. Füchse und Dachse schieden auch aus, weil ihr Fleisch nicht wirklich essbar war. Es gab bestimmt Damwild und vielleicht auch Muntjaks auf dem Besitz, aber ich konnte mich nicht mit dem Gewehr wildern sehen oder mit einem selbst gebastelten Speer. Außerdem blieb nicht genug Zeit, um das Fleisch ordentlich abhängen zu lassen. Ich überlegte kurz, einen Igel in Lehm zu backen, aber dafür war ich zu weich. Kaninchen war ein bisschen langweilig, Hase schon besser, aber schwer zu fangen.

Ich schob das Problem zur Seite und konzentrierte mich auf die letzten beiden Gänge. Fürs Dessert gab es nur eine Wahl. Emma und ihre Brüder hatten Quitten geklaut – das konnte ich auch, wenn noch welche am Baum hingen. Die Möglichkeit, einen Quittenpudding aus dem Dampfbad zu servieren, war zu gut, um darauf zu verzichten.

Käse, der letzte Gang. Ganz einfach. Emma stellte aus der Ziegenmilch ihren köstlichen weichen Ziegenkäse her. Ich würde ihn mit dünnen Scheiben gestohlener Äpfel servieren – ein idealer Abschluss des Essens.

Als ich mich dem Cottage näherte, schreckte ich ein wenig zurück vor der Fülle dessen, was ich mir selbst aufgebürdet hatte. Ich dachte daran, meinen ehrgeizigen Plan abzuspecken, aber dann hörte ich wieder Tobys verächtliches Zweifeln an meinen Fähigkeiten und sah Marshs überhebliches Grinsen. Eins war ich schon immer – halsstarrig.

Ich breitete also die Flurkarte auf dem Tisch aus und

begann mit der Planung. Ich markierte die Grenzen des Besitzes der Paxham-Jennings', die Stellen, die ich besuchen wollte, und die besten Zugänge zu diesen Stellen. Natürlich markierte ich auch die neuen Wildererfallen, von denen Marsh erzählt hatte. Mir blieben nur vier Nächte, und das bei abnehmendem Mond.

Die Pilze musste ich bei Tageslicht holen, aber dafür konnte ich mich am Waldrand aufhalten. Das war eine Aufgabe für den Sonntag. Das Obst und den Fisch sollte ich gleichzeitig organisieren, aber noch hatte ich keine Idee, wie weit die Bäume vom See entfernt waren. Ich musste also zum Alderhouse, um mich genau umzusehen. Am Montag, wenn die Jagdgesellschaft abgereist war, würde ich Toby besuchen, und am Montagabend konnte mein Beutezug steigen.

Natürlich war es riskant, so nahe beim Haus zu klauen. Ich musste mich von hinten nähern und ging davon aus, dass es im Garten keine Wildererfallen gab, außerdem konnte ich mir nicht vorstellen, dass sie den See und die Obstbäume mit irgendeinem Alarmgerät versehen hatten. Hunde waren schon eher ein Problem, obwohl ich noch keine gesehen hatte. Aber ich hatte ein anderes Tier gesehen ...

Plötzlich stand mein Hauptgang fest, ein Schmaus, an dem sich Gabriel Blane noch nicht versucht hatte: Pfau.

Ich würde ihn in der Tradition des Mittelalters servieren, mit den Federn. Ich konnte ihn mit gedörrtem Schinken spicken. Die Innereien würde ich zusammen mit trockenen Steinpilzen für eine üppige Füllung verwenden. Ich hatte Buchenholz, ich hatte kalkhaltigen Boden, und vielleicht konnte ich noch ein paar Sommertrüffel finden, woraus ich ein Essen zusammenstellen konnte, wie Toby es köstlicher noch nicht gegessen hatte. Er würde sprachlos sein.

Es gab nur ein Haar in der Suppe. Toby mochte nicht der klügste Junge in seiner Klasse gewesen sein, aber wenn einer der Pfauen fehlte und ich ihm zwei Tage später ein Pfauessen servierte, musste auch er ins Grübeln geraten.

Schließlich verwarf ich die Idee. Nicht das Rezept, darum wäre es zu schade gewesen, sondern den Gast. Ich würde den Pfau nicht Toby servieren. Ich würde meine Eltern einladen und meinem Dad zeigen, dass meine Ausbildung doch nicht ganz vergeudet war.

Trotzdem war es ein Ärgernis, denn es gab nichts anderes, was Gabriel Blane noch nicht versucht hatte. Er hatte Lamprete, Schwan und sogar Ortolan zubereitet, wenn man den Gerüchten glauben wollte. Wahrscheinlich hatte er auch schon Pfau serviert, aber dann nicht in der mittelalterlichen Tradition mit einem Teil des Federschmucks. Ich musste der Wahrheit ins Auge sehen: Er hatte schon alles probiert.

Oder doch nicht? Es gab eine Sache, die er nie servieren würde. Und jetzt hatte ich wirklich meinen Hauptgang.

Es war ein perfekter Morgen, der mich gleich in die richtige Stimmung für meine erste Expedition an diesem Sonntag brachte. Emma hatte wieder im Caravan geschlafen, und zum Frühstück – Kaffee, Schinken und Eier – hatte ich mit ihr und Ray geplaudert. Erst als sie gegangen waren, bereitete ich mich vor.

Im hellen Tageslicht und mit Marsh auf der Lauer musste ich vorsichtig vorgehen. Ich brauchte noch andere Pilze als Steinpilz und Champignon, und ich brauchte Obst. Die Pilze, das war eine Geduldfrage. Mit dem Obst, das war schon etwas riskanter. Es hingen noch Äpfel und Birnen auf den Bäumen, und in Ian Marshs Garten gab es noch einige der späten Pflaumen.

Es war riskant, sehr riskant, aber umso befriedigender, wenn ich erfolgreich war. Ich zog meine Wildererkleidung an und stopfte einen weiten Pullover und meinen längsten weit schwingenden Rock in eine Tasche, dazu verschiedene Gegenstände, die mir vielleicht nützlich sein konnten. Ich hörte Schüsse auf einem der unteren Felder, wahrscheinlich auf dem Besitz von Emmas Dad, und das bedeutete, dass Marsh entweder durch den Wald oder über die Straße gehen musste, um zurück zu seinem Cottage zu gelangen.

Ich wollte auf der sicheren Seite bleiben und folgte dem Weg zwischen Feld und Wald, und genau dort traf ich ins Schwarze. Im dicken Moos sprossen die schönsten Pilze, darunter viele kleine Pfifferlinge.

Ein paar Schritte in den Wald hinein entdeckte ich einen dicken jungen Schwefelporling, der auf einer alten Eiche wuchs. Ich hätte nie damit gerechnet, ihn hier zu finden, aber ich zögerte keinen Augenblick. Ich schnitt ihn behutsam vom Baumstamm ab, wickelte ihn vorsichtig in ein Tuch ein und konnte mein Jagdglück nicht fassen.

Weiter den Weg entlang, bis ich hinüber auf die andere Seite des flachen Tals blicken konnte. Gebückt wartete ich hinten dichten Büschen, bis endlich die Gewehre schwiegen. Zehn Minuten später fuhren einige Autos vorbei, dann tauchte Marsh auf, der über die Straße ging. Rasch flitzte ich zum Gehege. Wie Marsh gesagt hatte, gab es seitlich eine neue Wildererfalle, gut versteckt zwischen einem wuchernden Dornbusch und den engen Maschen des Zauns.

Ich legte den Sicherheitshebel um und schöpfte aus einer Pfütze mit beiden Händen Wasser in ein Futtergerät für die Fasane. Dann suchte ich ein Holzstück, das leichter war als das mit Wasser gefüllte Futtergerät und verband beide mit einer Schnur. Vorsichtig legte ich das Holzstück auf den Stolperdraht der Falle, dann kippte ich den Futterkasten, bis Wasser heraus tröpfelte. Jetzt konnte ich den Sicherheitshebel wieder zurücklegen.

Deckung boten mir die eng stehenden jungen Pinien, nicht weit vom Weg entfernt. Ich zog Pullover und Rock an, nahm die Mütze ab und schüttelte meine Haare locker – aus dem schmächtigen Mann war wieder eine Frau geworden. Jetzt erst näherte ich mich langsam Marshs Cottage. Ich duckte mich wieder hinter die Stämme der älteren Pinien und hatte seine Haustür im Blick.

Ich richtete mich aufs Warten ein, und obwohl ich genau wusste, was passieren würde, zuckte ich doch zusammen, als der Schuss explodierte. Mein Körper setzte all das Adrenalin frei, das ich brauchte. Ich biss mir auf die Unterlippe und wartete eine kleine Ewigkeit, bis Marshs Tür endlich aufschwang.

Er kam heraus, Knüppel in der Hand, das Gesicht bärbeißige Entschlossenheit. Er schwang sich auf die Fährte und verschwand aus meinem Blickfeld. Ich preschte hoch, behielt den Weg im Auge und tat ganz lässig wie ein Spaziergänger, als ich seinen Garten betrat.

Die Pflaumen waren dick und rot, überreif, zweifellos voller Geschmack und mindestens drei Fuß außerhalb meiner Reichweite. Aber so leicht gab ich nicht auf. Ich entdeckte ein Gestell neben seiner Tür. Ich schleppte es unter den Baum, kletterte hinauf, hielt nur mit Mühe mein Gleichgewicht, pflückte die nächste Pflaume, geriet aus der Balance und landete hart auf meinem Po im nassen Gras, während es von oben Pflaumen auf mich regnete.

Ich hob so viele auf, wie ich in meine Tasche stopfen konnte; die Qualitätskontrolle wollte ich einem geeigneteren Augenblick überlassen. Ich trug das Gestell zurück und huschte zum Gartentor, denn irgendwie hatte ich das Gefühl, dass der ganze Paxham-Jennings-Clan in diesem Moment seinen Wildhüter besuchen wollte.

Das taten sie nicht, und wenige Sekunden später ging ich beschwingt den Weg entlang, ohne gesehen worden zu sein. Ich schaute auf meine Uhr. Seit Marsh aus dem Cottage gestürmt war, waren erst vierzehn Minuten vergangen. Mir waren sie fast wie vierzehn Stunden vorgekommen.

Was für ein Gefühl! Ich musste an mich halten, um nicht zu singen und zu pfeifen, als ich den Weg entlangging. Mein ach so selbstsicherer Ian Marsh würde im Wald stehen und sich den Kopf kratzen, während ich mit meiner Beute unterwegs zu meinem Cottage war.

Wenn er dann bemerkte, mit welcher Zeituhr ich den Schuss ausgelöst hatte, würde er sich nicht mehr den Kopf kratzen, sondern nur noch fuchsteufelswild sein, und er würde auf jedes Gebüsch einschlagen, um den Kerl zu erwischen, der ihn an der Nase herumgeführt hatte. Er würde sich auch denken können, dass er mit dem falschen Alarm nur abgelenkt werden sollte, aber würde er auch herausfinden, dass der Wilderer es diesmal nur auf die Pflaumen abgesehen hatte?

Nun, das Geschehen an diesem Tag würde ihn dazu veranlassen, noch höllischer auf der Hut zu sein. Mir war das egal. Ich brauchte nicht mehr in seinen Wald.

Der Montag begann gut. Am Morgen ging ich hinüber zum Alderhouse und verbrachte ein paar angenehme Stunden mit Toby und seinen Eltern. Regen drohte, aber ich brauchte nur eine vage Andeutung, um Toby zu überreden, mir den Garten zu zeigen. Ich tat natürlich so, als wollte ich nur deshalb von den Eltern weg, damit wir ungestört knutschen konnten. Es entwickelte sich zu einem sehr ausgiebigen Knutschen, eine Hand streichelte meinen Nacken, die andere strich knetend über meine Backen, während wir uns küssten.

Ich war durchaus bereit, weiterzugehen, wenn er darauf bestanden hätte und wenn wir in Sicherheit gewesen wären, aber ich war davon überzeugt, Donald und Elizabeth Paxham-Jennings wären nicht amüsiert gewesen, wenn sie mich auf dem Schwanz ihres Sohnes in ihrem Garten hätten reiten sehen.

Also begnügte ich mich damit, mit einer Hand über seinen Schritt zu streichen und ihm ins Ohr zu flüstern, dass ich mich auf den Mittwoch freute. Das war zu viel für ihn, und im nächsten Moment hatte er seinen Penis ins Freie geholt und legte meine Hand um ihn.

»Toby!«

Das war zwar ein Protest, aber zugleich fuhr meine Hand leicht reibend auf und ab.

»Was ist mit deinen Eltern?«

»Ich pfeif auf meine Eltern, ich will dich.«

Ich musste ob seiner gepressten Leidenschaft lächeln, schaute mich schuldbewusst um und begann, seine

Erektion ernsthaft zu reiben. Wir befanden uns hinter einer Hecke und konnten das Haus gar nicht sehen, aber ich war sicher, dass wir erwischt würden. Aber Toby schien sich seiner Sache sicher zu sein und streichelte meine Brüste durch die Wolle meines Pullovers, dann versuchte er, ihn nach oben zu schieben.

Ich protestierte wieder und stellte mir vor, oben ohne von seinen Eltern erwischt zu werden. Doch er war beharrlich, und ich wurde immer schärfer.

Er legte also meine Brüste frei und schob Pullover und BH unter mein Kinn. Toby schnurrte wie ein Kater und barg sein Gesicht zwischen meinen Brüsten, küsste und leckte sie, nahm den einen Nippel und dann den anderen in den Mund.

Das Stadium des Protests hatte ich längst hinter mir gelassen, ich war viel zu geil, um an etwas anderes zu denken als an die Erfüllung meiner Lust. Auch als seine Hände anfingen, meinen Po zu kneten und zu quetschen, hielt ich ihn nicht auf. Ich brachte nur ein tiefes Stöhnen heraus, als er meine Jeans öffnete und zusammen mit meinem Slip über die Hüften schob.

Toby kniete sich vor mich, küsste meinen Bauch, bohrte die Zunge in meinen Nabel, glitt weiter nach unten, küsste den kleinen Hügel vor der Pussy und schmiegte das Gesicht in mein Geschlecht, während er mit beiden Händen über meine Backen strich. Ich schloss die Augen, als er mich zu lecken begann, und dann schnalzte er mit der Zunge über meine Klitoris, als wollte er mich so schnell wie möglich zum Orgasmus bringen.

Ich hatte nichts dagegen, nahm meine Brüste in die Hände und streichelte über die kleinen harten Warzen, und während er mich leckte, musste ich daran denken, wie versaut wir waren und welches Bild ich abgeben musste, nackt vom Hals bis zu den Knien in seinem Garten.

Er spreizte meine Backen, als wollte er einem Kumpan meine Rückseite mit beiden Öffnungen zeigen, und dieser Gedanke spornte die Phantasie an, die ich brauchte. Wie in dem Armeeladen würde es vielleicht auch hier jemanden geben, der uns beobachtete.

Marsh!, war mein erster Gedanke. Sie hatten sich abgesprochen, mich zu teilen. Während Toby mich leckte, würde Marsh sich von hinten anschleichen, den erigierten Schaft einsatzbereit in der Hand. Maskuliner oder nicht, er war der Angestellte, deshalb musste er den Hintereingang nehmen, während Toby mich von vorn nahm.

Meine Lippen klafften weit auseinander, dann drang der Schrei der Ekstase heraus, obwohl ich mich bemüht hatte, still zu sein. Toby leckte weiter, bis das Zucken meines Körpers abgeflaut war, dann richtete er sich grinsend auf, die Lippen weiß von meinen Säften. Der erigierte Schaft lugte noch aus dem Hosenstall.

Ich fühlte mich noch ein wenig schwach, aber ich wollte mich vor ihn knien, um mich zu revanchieren. Toby hatte was anderes vor. Er presste sich eng an mich und schob den harten Schaft zwischen meine Brüste. Ich nahm sie in die Hand und modellierte sie um seine Länge. Er bewegte sich auf und ab.

Grunzend und keuchend ergoss er sich über Bauch und Brüste, dann blieben wir grinsend und kichernd wie Schulkinder stehen und richteten unsere Kleider wieder her.

Der Rest war einfach und längst nicht so aufregend. Auf einem kurzen Spaziergang sah ich den Quittenbaum auf einer kleinen Obstwiese, die von einer Hecke eingeschlossen war. Er stand versteckt, und der Fluchtweg war ein wenig kompliziert. So nahe beim Haus würde ich keine Taschenlampe benutzen können, also musste ich mir die Lage genau einprägen – und eine Stelle in der Hecke, die dünner war als andere. Ich zählte die Bäume von den Quitten bis zu dieser Stelle, während ich mich an Toby kuschelte und mit ihm plauderte.

Der See bot gute Fluchtwege, und es gab auch verschiedene Möglichkeiten, in Deckung zu gehen. Auf einer Seite wurde er von einer nur leicht abfallenden Böschung begrenzt, die wahrscheinlich abgetragen worden war, um von der Rückseite des Hauses einen ungehinderten Blick aufs Wasser zu haben. Zwei Gartenlauben, eine verschnörkelte Brücke und mehrere Büsche boten mir idealen Sichtschutz. Hinter dem See schloss sich ein offener Park an, der an einer Seite von einer Hecke eingefasst war. Auf der anderen Seite der Hecke begann der Wald. Links vom Wald sah ich die Spitze der Kirche von Ilsenden.

Nachdem ich meine Erkundungen abgeschlossen hatte, ließ ich mich von Toby wieder zum Haus führen, eine Hand auf meinem Arm, die andere auf meinem Po. Seine Mutter lud mich ein, zum Mittagessen zu bleiben.

Es gab Ente mit Reis und grünen Erbsen, schlicht und sehr lecker, während wir über Familiengeschichte, Weinkelterei, Hunde, Katzen und Karpfenangeln sprachen – hauptsächlich vom Karpfenangeln. Elizabeth Paxham-Jennings züchtete Siamkatzen. Hunde gab es nicht auf Alderhouse.

Nach der Abreise der Jagdgesellschaft gab es noch viel aufzuräumen und wiederherzurichten, und obwohl sie mich freundlich einluden, länger zu bleiben, erfand ich einen Vorwand, der angeblich meine Zeit erforderte. Sie waren alle so nett zu mir, dass ich mich ob meiner bösen Absichten mit einem schlechten Gewissen herumschlug, und als ich zu Fuß zum Cottage ging, musste ich mir einreden, dass es doch nur ein kleiner Schabernack war. Ich fügte niemandem einen wirklichen Schaden zu.

Ich überlegte sogar, ob ich Toby nach dem Festessen reinen Wein einschenken sollte, aber dann fand ich, dass man es mit seinem schlechten Gewissen auch übertreiben konnte. Ich wollte auch nicht meine Planung abbrechen – sie machte mir großen Spaß.

Eine Weile saß ich am Computer, dann machte ich es mir auf dem Bett gemütlich und studierte wieder die Flurkarte, um die einzelnen Wege besser abschätzen zu können. Ich schlief ein wenig, und als ich aufwachte, war es dunkel. Einen Augenblick lang überfiel mich die Panik, weil ich dachte, ich hätte die ganze Nacht verschlafen, aber es war gerade acht Uhr vorbei.

In BH und Höschen setzte ich mich an den Küchentisch und labte mich an zwei Scheiben mit Butter aus Jersey und selbst gemachter Erdbeermarmelade. Erst danach zog ich mich an. Pullover und Rock über meiner Tarnkluft, dazu meine Ausrüstung in einer Schultertasche.

Draußen war es kühl und feucht. Ich spürte wieder den köstlichen Thrill, der einen packt, wenn man was Verbotenes tun will. Kurz bevor ich den Weg unter der Autobahnbrücke erreichte, sah ich die Scheinwerfer eines Autos auf mich zukommen, und ich schlug mich rasch in die Büsche. Ein Landrover fuhr vorbei. Den Fahrer konnte ich nur als dunkle Silhouette erkennen, aber ich war sicher, dass es Marsh war.

Ich blieb noch eine Weile in meinem Versteck und hoffte, dass er mich nicht gesehen hatte. Erst als ich die Rücklichter nicht mehr sehen und das Motorgeräusch nicht mehr hören konnte, traute ich mich hinter den Büschen hervor. Der Landrover hatte bestimmt angehalten. Mein Herz hämmerte in meiner Brust. Er hatte mich nicht gesehen, sonst wäre er nicht so weit gefahren. Jetzt hörte ich das Schlagen seiner Autotür. Na, endlich. Für den Moment war ich in Sicherheit.

Ich lief leichtfüßig den Weg entlang und hielt erst hinter Alderhouse an. Immer wieder schaute ich zurück und erwartete die Scheinwerfer des Landrovers. Die Hecken waren hoch und dicht, und ich hätte mich nirgendwo verstecken können. Aber er kam nicht. Es war zu früh zum Jubeln, denn ich wusste, dass er unterwegs war, um den Wilderer zu stellen – mich.

Allein das Wissen, dass Marsh da draußen war, um mich durch die Nacht zu jagen, ließ mich vor Erregung erschauern, als ich mich Ilsenden näherte. Autos fuhren vorbei, aber nicht seins. Ein feuchter Nebel lag in der Luft, als ich am Friedhof vorbei ging und mich dem Grundstück von Alderhouse näherte. Ich musste über zwei Tore klettern, dann erreichte ich den Park.

Dicht an die Hecke gedrängt, zog ich Pullover und Rock aus und stopfte sie in meine Plastiktasche, die ich dann in der Hecke versteckte. Ich musste einen Stacheldrahtzaun überwinden, dann stand ich auf dem Besitz der Paxham-Jennings'. Vor mir leuchteten die Fenster des Alderhouse. Die Gärten und der See lagen in schwarzer Dunkelheit, selbst die hohen Bäume im Park waren kaum zu erkennen. Ich nutzte die Baumstämme als Deckung und sprang von einem zum nächsten, lief um den See und stand dann hinter der Hecke zur Obstwiese.

Alles war still, schwarz und feucht. Ich zwängte mich durch die Hecke und zählte die Bäume. Der Quittenbaum war der kleinste, und die Früchte hingen tief und waren leicht zu pflücken. Ich nahm eine Hand voll, dann noch eine. Vermutlich würde niemand die paar Quitten vermissen. Vom Nachbarbaum pflückte ich noch ein paar Äpfel, dann huschte ich zurück zum See.

Ich war noch nicht fertig. Es war fast zehn Uhr, und im Haus brannten auf allen drei Etagen noch viele Lichter. Das bedeutete, sie konnten nicht hinausschauen, aber ich konnte hineinsehen. Als Toby gerade die Vorhänge zuzog, erkannte ich für einen Moment einen überraschend muskulösen Oberkörper. Es rieselte mir heiß und kalt über den Rücken.

Er ging also zu Bett, und seine Eltern würden in einer so feuchten Nacht bestimmt nicht ins Freie treten. Voller Zuversicht suchte ich mir einen geeigneten Platz am See – die kleine Brücke. Es gibt einige Tricks beim nächtlichen Karpfenangeln. Ein bisschen Brot soll sie zum Ufer locken, und als Köder muss man etwas nehmen, was stark riecht, am besten nach Fischöl. Ich hatte mich für Sardellen entschieden, die selbst der dümmste Karpfen über den ganzen See riechen musste. Ich hatte keine Angel, sondern nur eine kräftige Schnur, an der ich den Köder und den Haken befestigt hatte. Ich band mir die Schnur um die rechte Hand.

Wie Leute ganze Wochenenden mit Angeln verbringen können, ist mir schleierhaft. Ich wartete, schlang die Arme fest um mich und wurde immer kälter. Der Thrill der Jagd schwächte sich ab und wurde durch endlose Langeweile ersetzt. Nach und nach verlöschten die Lichter im Haus, und dann versank ich in absoluter

Schwärze; sehen konnte ich nur die grünen Zeiger meiner Armbanduhr.

Ich begann zu zittern und wünschte, ich wäre zu einem Fischhändler gegangen. Aber ich bin ein störrisches kleines Biest, deshalb blieb ich und malte mir aus, wie ich den Karpfen zubereiten wollte. Ich habe es immer für heuchlerisch gehalten, Fleisch zu essen und Tiere nicht töten zu wollen, aber dies war das erste Mal, dass ich meine Prinzipien selbst testen konnte.

Zu meiner Ausrüstung gehörte ein kurzes Bleirohr, das ich bei der Renovierung des Cottages zurückbehalten hatte. Es konnte mir gute Dienste erweisen, wenn ich den Karpfen erschlagen musste, oder wenn ich unterwegs einen Mann traf, der auf komische Ideen kam, wenn er einer Frau im Dunkeln begegnete. Es würde mir nicht leicht fallen, das Rohr zu benutzen.

Die Zeit verrann, und die Feuchtigkeit zog langsam in meine Kleider. Ich richtete mich langsam auf, um mal eine andere Position einzunehmen, und in diesem Moment spürte ich, wie meine Schnur straff gezogen wurde.

Ich erstarrte und hielt mich mit einer Hand am Brückengeländer fest. Wieder ruckte die Schnur und zog mich ein, zwei Schritte vor. Ich stemmte mich dagegen und zog die Schnur an mich. Da musste ein dicker Fisch angebissen haben. Ich hielt still und wollte ihm Zeit geben, den Köder zu schlucken, dann zerrte ich wieder an der Schnur.

Das Wasser unter mir wurde aufgewühlt und spritzte hoch, denn meine Beute wehrte sich. Ich kämpfte nicht nur gegen den Fisch, sondern auch gegen meine Schuldgefühle. Die gespannte Schnur zuckte wie verrückt in meiner Hand, und das Klatschen im Wasser war so laut, dass ich fürchtete, man könnte es im Haus hören.

Dann hatte ich ihn, ich spürte sein volles Gewicht an der Schnur, hievte ihn hoch und zog ihn über das Geländer. Er zappelte und schlug einen Salto nach dem anderen, und plötzlich fand ich mich auf dem Hosenboden wieder. Aufgeregt wand ich die Schnur um meine Hand, und im nächsten Moment spürte ich die Zähne des Fischs. Ich schrie auf.

Verdammt, ich hatte einen Hecht gefangen! Ich schrie voller Panik, weil er meine Hand nicht losließ, und ich schlug auf ihn ein. Vergessen waren alle Schuldgefühle. Keine Barmherzigkeit mehr, ich wollte töten.

Das gelang mir, allerdings mit vielen Schlägen des Bleirohrs auf meine Hände und Beine. Ich schrie Zeter und Mordio, ohne daran zu denken, dass jemand mich hören konnte. Als ich ihn vom Haken genommen hatte, steckte ich mir meine blutende Hand in den Mund, und als ich dann auf den toten Fisch schaute, setzte meine Reaktion ein – reiner Triumph.

Es war ein gewaltiger Hecht, so lang wie mein Arm. Ein Beutejäger, ein Monster, das Enten unter Wasser zog und zu Tode biss. Ich hatte ihn gefangen und getötet, und später würde ich ihn essen. Nie in meinem Leben hätte ich gedacht, dass ich zu so einer mörderischen Schadenfreude fähig war.

Der gesunde Menschenverstand setzte bei mir erst wieder ein, als ich im ersten Stockwerk des Hauses ein Licht angehen sah. Vielleicht musste nur jemand zur Toilette, aber der Moment beendete meine primitive Freude am Töten. Ich sammelte meine Sachen ein, hob den schweren Hecht auf und huschte zurück in den dunklen Park.

Es war nach elf Uhr, und es war kalt und nass, und ich hatte keine Lust, länger draußen zu bleiben. In der

Hecke zog ich mir wieder Pullover und Rock über meine Tarnkleidung. Die Schwanzflosse des Hechts ragte aus meiner Tasche heraus, deshalb blieb mir nichts anderes übrig, als ihn in meinen Pullover zu wickeln.

Ich ging nach Ilsenden, rief in der Nähe des Pubs ein Taxi und ließ mich nach Hause fahren. Der Taxifahrer war so anständig, meinen modischen Geschmack nicht zu hinterfragen, und selbst den Fischgeruch kommentierte er nicht.

Siebtes Kapitel

Am Dienstagmorgen war ich sehr zufrieden mit dem, was ich erreicht hatte. Ich hatte mich nicht erwischen lassen und alles stibitzt, was ich für mein Menü brauchte. Während ich mich anzog und Kaffee aufbrühte, sang ich fröhlich vor mich hin, und wenn ich nicht sang, grinste ich über alle Backen.

Es war ein irrer Spaß gewesen. Kälte, Angst und Schmerz waren längst vergessen. Ich hatte es geschafft. Ich hatte auch etwas Neues über mich erfahren – wenn es darauf ankam, konnte ich Dinge tun, die ich mir nicht zugetraut hatte.

Jetzt musste mein Menü perfekt werden. Ich hatte alle Zutaten, und sie hatten so gut wie nichts gekostet. Nur der Wein würde ein Loch ins Portemonnaie reißen. Ich würde Champagner servieren und zu jedem Gang einen ausgesuchten Wein einschenken. Nein, ich würde nicht dreieinhalb Flaschen trinken, aber ich konnte die nicht geleerten Flaschen luftdicht verschließen und für später aufheben. In der Umgebung würde ich das nicht finden, was ich mir vorstellte, also beschloss ich, nach London zu fahren.

Der Gestank erwischte mich voll, als ich in Paddington aus dem Zug stieg. Abgase, Staub, Öl und Frittenfett. Auch der Geräuschpegel störte mich, dann das geschäftige Gewusel der Leute, die sich aneinander vorbei drückten, die Penner, die um Geld bettelten und auf meine Oberweite starrten, die Touristen, die mit ihren Rucksäcken meinen Weg blockierten, die schrecklichen Maschinen, die Fahrkarten schluckten, noch bevor du die Sperre durchschritten hast ...

Sofort wünschte ich mich wieder aufs Land zurück, und meine kurze Fahrt nach South Kensington war nicht geeignet, meine Meinung zu ändern. Ich hatte nie viel für Städte übrig, aber erst jetzt wurde mir bewusst, wie entsetzlich sie wirklich sind, und London bildet keine Ausnahme.

Aber London ist nun mal die Stadt, in der man die meisten verschiedenen Weine kaufen kann. Zum Glück wusste ich genau, wohin ich gehen musste, und nach einer Stunde hatte ich meinen Einkauf abgeschlossen. Beim Champagner mied ich die großen Marken und entschied mich für einen Grand Cru, einen Blancs de Blancs von Mareuil, acht Jahre alt.

Um den delikaten Geschmack der Suppe noch anzureichern, wählte ich einen Albarino von Rias Baixas, und zum Hecht sollte es einen Meursault Perrières geben, auch wenn der Preis meine Augenbrauen in die Höhe schnellen ließ. Es war unmöglich, zum Fasan etwas Besseres zu finden als einen Romanée St. Vivant, was den Geldbeutel wieder etwas schonte, denn die Preise für einen vergleichbaren Wein ließen mich erschauern. Der Romanée war schwer zu überbieten, aber ich entdeckte einen Ribero del Duero Reserva Especial, den ich schon einmal probiert hatte und der hervorragend war. Ein dreizehn Jahre alter Saussignac, den ich zum Pudding anbieten wollte, fiel mir ins Auge, und zum Abschluss sollte es einen Armagnac geben. Ich fand einen 1972er, dem ich nicht widerstehen konnte. Schwer beladen begab ich mich auf den Rückweg, glücklich über meine gute Wahl.

Zwei Stunden später war ich wieder im Cottage. Ich setzte mich an den Computer und arbeitete die einzelnen Schritte aus, denn bei den vielen Gängen musste man minutiös vorgehen. Es gab enorm viele Vorbereitungen abzuleisten, und erschwerend kam hinzu, dass ich die linke Hand kaum gebrauchen konnte. Ich musste den Hecht schuppen und ausnehmen, die Fasane rupfen und ausnehmen ... nein, das war alles kaum zu schaffen, und mit einer Hand erst recht nicht. Ich erwog ernsthaft, Emma um Hilfe zu bitten.

Das bedeutete aber, dass ich ihr von meinen Missetaten erzählen musste. Sie war zwar ein Mädchen vom Land, aber dumm war sie nicht. Wenn ich sie nach Strich und Faden belog, musste ich eine Geschichte erfinden, vor der sich sogar Baron Münchhausen gegruselt hätte. Emma würde meine Lügengespinste durchschauen, und ich wollte unsere Freundschaft nicht aufs Spiel setzen. Auf der anderen Seite ahnte ich, dass sie ein Geheimnis höchstens fünf Minuten für sich behalten konnte, erst recht, wenn es um eine Geschichte ging, die ihr so gut gefallen würde wie meine Beutezüge auf dem Besitz der Paxham-Jennings'.

Am Ende entschied ich mich dagegen und begann mit meinen Vorbereitungen. Ich nahm mir den Hecht vor, denn der Geschmack des luftgetrockneten Schinkens sollte so lange wie möglich einziehen. Rücken und Seiten häuten, mit Fett einreiben und dann mit dem Schinken spicken. Eine Stunde später verwarf ich meine Entscheidung und rief Emma an.

Sie war mit ihrer Arbeit fertig und kam sofort, tänzelte fröhlich durch die Küche und blieb wie angewurzelt stehen, als sie den Monsterhecht auf dem Tisch sah.

»He, wo hast du den denn her? Wie viel wiegt er?«

»Dreiundzwanzig Pfund.«

»Dreiundzwanzig! Ich muss ihn den Jungs zeigen, das müssen sie sehen. Luke hat noch nie ...«

»Nein, nein, nein, Emma! Das darf niemand wissen.«

»Warum nicht?«

»Weil ich ihn geklaut habe.«

»Geklaut? Von wem? Nicht Alderhouse?«

»Doch. Gestern Nacht. Eigentlich wollte ich einen Karpfen, aber dann ...«

»Wow! Du bist die Größte! Das ist dreist. Aber wenn du mit Toby in die Kiste steigst, warum musst du dann aus seinem See klauen?«

»Weil er morgen Abend zum Essen kommt, und ich will ihm nicht sagen, dass ich fast alles, was er bei mir isst, von seinem Besitz geklaut habe. Eine komplizierte Geschichte.«

Ich erzählte ihr alle Einzelheiten, und sie reagierte so, wie ich es erwartet hatte: lachend, kichernd, tanzend. Als ich ihr von meiner Kollision mit Ian Marsh berichtete, schlug sie entsetzt eine Hand vor den Mund. Dann war ich auch mit dieser Episode am Ende, und sie ließ sich, erschöpft vom Zuhören, auf einen Stuhl fallen, den Mund weit geöffnet.

»Du bist wirklich für jede Überraschung gut, Juliet.«

Ich zuckte die Achseln.

»Dabei habe ich dich immer für ein braves Mädchen gehalten.«

»Ich?«

»Ja, dich. Ich wünschte, ich könnte den Jungs die Geschichte erzählen. Sie würden sich schieflachen.«

»Nein, Emma. Es ist ein Geheimnis, das unter uns bleiben muss.«

»Ja, schon gut. Aber du brauchst dir keine Gewissensbisse zu machen. Die Jungs tun es die ganze Zeit.«

»Auf dem Besitz der Paxham-Jennings'?«

»Nein, natürlich nicht. Nicht, so lange Marsh da rumläuft. Du hattest verdammt viel Glück, dass du nur seinen Stock zu spüren bekommen hast. Der Mann ist nicht ganz richtig im Kopf.«

»Ich kann schneller laufen als er.«

»Aber du kannst nicht schneller laufen als eine Ladung Schrot. Mit der wirst du wissen, was es heißt, sich den Arsch aufzureißen.«

»Glaubst du, das würde er wirklich tun? Du kannst doch nicht einfach auf Leute schießen, Emma.«

»Also, ich würde das Risiko nicht eingehen.«

»Du hast Recht. Ich werde es auch nicht mehr tun.«

»Wenn du Kicks suchst, gehst du mit uns aus.«

»Ja, werde ich. Aber jetzt brauche ich dringend deine Hilfe. Der Hecht hat mich gebissen.«

»Nun, du bist ihm nichts schuldig geblieben.«

»Ich muss ihn häuten, das gehört zum Rezept. Hecht Chambord. Ein französisches Rezept, ursprünglich aus dem Tal der Loire. Sie haben viele Fischteiche da, rund um Chambord, weil irgendein König damit angefangen hat.«

»Karpfen sollen mehr nach Schlamm schmecken, stimmt das?«, fragte Emma.

»Ja, das trifft natürlich auch für Hechte zu, deshalb muss man sie gründlich waschen. Wenn er gehäutet ist, nähe ich ihm Schinken auf die Haut. Das ist kein Problem, ich möchte nur, dass du ihn hältst, damit ich in Ruhe an ihm arbeiten kann, okay?«

»Ja, klar.«

»Danke, aber das ist noch nicht alles.«

Ich erklärte ihr die Einzelheiten meines Menüs, während wir uns mit dem Hecht beschäftigten. Sie freute sich, mir helfen zu können, und zwischendurch erholte sie sich bei einem ansteckenden Kichern.

Gabriel Blane hat noch nie etwas serviert, womit er vorher nicht ausgiebig experimentiert hatte. Gewöhnlich probierte er ein halbes Dutzend Variationen desselben Gerichts, ehe er es seinen Gästen servierte. Diesen Luxus konnte ich mir nicht leisten, aber ich bereitete den zweiten Fasan ihres Bruders mit Steinpilzen und einer Pflaumensauce zu, und Emma und ich delektierten uns daran. Sie nagte die Knochen ab und leckte die Sauce vom Teller, was kein schlechtes Zeichen war, aber ich war noch nicht überzeugt, Blanes klassisches Moorhuhnrezept übertroffen zu haben.

Als sie ging, stand der Hecht im Kühlschrank, und der Saft des Schinkens hatte Zeit, ins Fleisch einzudringen. Der Fasan war auch fertig. Ich ließ mich ins Bett fallen, den Kopf noch voller Einzelheiten, aber als mein Kopf aufs Kissen fiel, war ich schon eingeschlafen.

Den Fasan hatte ich vorher probiert, und ich hatte schon einmal im *Seasons* à la Chambord gekocht; alles andere war neu für mich. Und eine Suppe aus den Hühnern des Waldes hatte ich noch nie zubereitet. Ich war entschlossen, sie den Ziegen zu geben, falls sie nicht schmeckte, aber das war nicht nötig – es war die beste Pilzsuppe, die ich je gegessen hatte.

Die Suppe war meine erste Aufgabe am Morgen, und die anderen schlossen sich nahtlos und wie geplant an.

Um zwei Uhr am frühen Nachmittag kam Emma, und als wir alles vorbereitet hatten, überließ ich ihr das Aufräumen und gönnte mir ein langes, heißes, wohl verdientes Bad.

Als ich aus der Wanne stieg, war die Küche blitzblank. Gemeinsam deckten wir den Tisch im Wohnzimmer, schneeweiße Tischdecke, schweres Besteck mit dunklen Horngriffen, Gläser aus Tschechien und schwarze gusseiserne Kerzenleuchter, die wir im ganzen Zimmer verstreut aufstellten. Es sah sehr überladen barock aus; ein Minimalist wäre schreiend aus dem Zimmer gelaufen, aber für meine Absichten war es perfekt.

Ich überließ Emma wieder den Rest und bereitete mich weiter auf meinen Gast vor. Ich rasierte die Achselhöhlen und meine Pussy, enthaarte meine Beine und traf all jene zeitraubenden und manchmal auch schmerzhaften Dinge, die Männer bei einer Frau für selbstverständlich halten.

Ein Hauch von Parfum, absichtlich zurückhaltend verwendet, dann ein ebenso dezentes Make up sowie ein Silberband, um meine Haare zu zähmen – damit war die Basisarbeit erledigt. Zum Glück war das Kleid eine leichte Entscheidung, eine Kreation aus tiefrotem Samt, farblich abgestimmt auf das Dekor des Zimmers; sehr figurbetont, dazu die silbernen Slipper. Das Kleid hatte keine Träger, über den Brüsten war es gerüscht, und ein BH hätte nur gestört. Meine Nippel drückten sich durch den Stoff, aber schließlich war es ein romantisches Abendessen, und außerdem hatte ich auch kein Höschen an.

Emma nickte kurz und ermutigend, als ich aus meinem Zimmer trat und sie bat, mir den Reißverschluss hochzuziehen. Ich war bereit. In meinem Bauch flatterten die Schmetterlinge, und in meinem Schoß breitete sich ein wohliges warmes Gefühl aus. Alles würde gut werden.

Einen Gang musste ich noch abschließen: Die Pfifferlinge. Butter schwenken, mit Pfeilwurz anreichern, Fasanenbrühe dazu geben, dann erst die kleinen Pfifferlinge hinein und kurz schmoren lassen. Alles andere war fertig, mein Zeitplan hatte bestanden. Die Sauce wurde in dem Moment sämig, als wir Tobys Auto hörten. Emma zog sich in die Vorratskammer zurück, und dann schellte es auch schon.

Ich öffnete die Tür und sah mich einem riesigen Strauß von Lilien gegenüber, Toby dahinter.

Ich war es nicht allein, die sich in Schale geworfen hatte. Toby trug einen schwarzen Smoking mit einem roten Kummerbund aus Seide, der sehr gut zur Farbe meines Kleids passte. Es war genau das Bild, das ich mir vorgestellt hatte – formell, traditionell und ein Hauch von Exzentrik. Ich küsste ihn und bat ihn ins Haus, teilte die Blumen auf zwei Vasen auf und trug den Duft und die Schönheit ins Wohnzimmer.

»Danke, Toby. Sie sind wunderschön. Jetzt nimm bitte Platz, dann kann es losgehen.«

Ich holte den Champagner, den Emma bereithielt, öffnete den Korken und schenkte ein. Toby hatte sich in der Zwischenzeit im Zimmer umgesehen.

»Hier hat sich eine Menge verändert«, sagte ich.

»Es passt zu dir.«

»Ein bisschen planlos und unausgewogen?«

»Ich wollte sagen dunkel und geheimnisvoll.«

»Ja, damit bin ich auch einverstanden. Ein solches Zimmer wirst du nicht als Vorschlag in *Schöner wohnen* finden.«

»Da stimme ich zu. Du schwimmst nicht gern mit dem Strom, nicht wahr?«

»Ich möchte gern ich sein.«

Ich nahm einen Schluck Champagner, der alles hielt, was ich mir von ihm versprochen hatte. Köstlich frisch mit einem Nachhall von üppiger Reife, die nur mit dem Alter kommt. Das Flattern in meinem Bauch verstärkte sich noch, deshalb nahm ich einen undamenhaft großen Schluck, als ich sah, dass Toby sich wieder umdrehte, um sich das Zimmer weiter anzusehen.

»Ich wünschte, so könnte ich auch wohnen«, sagte er.

»Das kannst du doch. Alderhouse muss zehn Mal so groß sein wie das Cottage, und ich habe viele wunderbare Dinge bei euch gesehen.«

»Ja, aber es gibt keine Privatsphäre. Wir haben immer Gäste. Alderhouse ist eher ein Hotel. Außerdem – wie viele Männer im Alter von fünfundzwanzig Jahren kennst du, die noch bei ihren Eltern leben?«

»Einige«, sagte ich lächelnd. »Wenn die Polizei einen Serienkiller sucht, überprüft sie zuerst alle Männer über fünfunddreißig, die noch bei Mutti leben.«

»Danke, Juliet. Sehr freundlich. Mm, ich muss sagen, aus deiner Küche dringen einige wunderbare Düfte. Was hast du uns denn gekocht?«

»Das wirst du früh genug sehen. Und ich will, dass du ehrlich zu mir bist, Toby. Wirst du mir sagen, wenn etwas nicht so gut schmeckt wie im *Seasons?*«

»Das wird nicht so einfach sein, denn man sagt, dass Blane alles gerät, was er in die Finger nimmt. Aber mit dem Champagner hast du einen hervorragenden Griff getan, das muss ich dir lassen.«

»Ja, nicht wahr? Aber dabei muss man ja nur wissen,

was man kauft und wie man ihn serviert. Das Lob gebührt dem Winzer, ein Monsieur Henri Blin.«

»Ja, aber ist Kochen nicht auch nur eine Frage des richtigen Einkaufs und der gekonnten Zubereitung? Ich meine, wir müssen unserem Herrgott dankbar sein für alles, was die Erde hergibt.«

»Ja, das stimmt im Prinzip, aber das persönliche Geschick zählt so viel wie das Wissen um die einzelnen Zutaten.«

»Aber jedes Rezept, das du erfunden hast, kann ich doch nachkochen, wenn man mir Schritt für Schritt erklärt, was zu tun ist, oder?«

»In der Praxis wird das nicht so gut klappen. Nun, warte ab. Noch etwas Champagner?«

»Ja, gern, danke.«

Ich schenkte ein und füllte auch mein Glas wieder. Die Perlen waren mir schon in den Kopf gestiegen. Eine kleine Menge von Alkohol stärkte mein Selbstvertrauen. Es geht nichts über Champagner, um einen solchen Abend zu beginnen, deshalb nahm ich die Flasche und stand auf, denn Emma sollte auch was davon haben.

»Es beginnt mit einer Porlingsuppe«, kündigte ich an.

Sie stand auf dem Herd. Ich füllte zwei Tassen und brachte sie ins Wohnzimmer, dann tauschte ich den Champagner gegen den Albarino ein. Toby hatte auf mich gewartet, aber sobald ich sein Glas gefüllt hatte, tauchte er den Löffel in die Suppe. Ich war auch versessen darauf, den ersten Löffel zu schmecken, und konnte nur hoffen, dass die Suppe über Tag nicht einen ungenießbaren Geschmack angenommen hatte. Die Angst war unbegründet; sie war hervorragend, ein wenig sauer, ein wenig pfeffrig, und über allem der Pilzgeschmack.

Eine Weile aßen wir schweigend. Offenbar war Toby fasziniert vom ungewohnten Aroma der Suppe. Nur als wir aus der Vorratsküche ein dumpfes Geräusch hörten, hob er verwundert den Kopf.

Ich sah ihn lächelnd an. »Das war nichts. Manchmal stoßen die Ziegen schon mal gegen die Hintertür.«

»Ich erinnere mich an die Ziegen deiner Großmutter. Willst du sie behalten?«

»Ja. Emma Thompson kümmert sich hauptsächlich um sie, dafür überlasse ich ihr die Hälfte der Milch.«

»Klingt vernünftig. Teilung der Arbeit, Teilung des Ertrags.« Er wies auf die Suppe. »Schmeckt köstlich. Ich habe noch nie so eine aromatische Hühnersuppe gegessen.«

»Es ist keine Hühnersuppe. Die Zutaten sind fette gelbe Pilze, die du bestimmt schon im Wald gesehen hast. Sie wachsen an Bäumen. Im Volksmund nennt man sie ›Hühner des Waldes‹, weil sie ein bisschen so aussehen und weil sie beinahe so schmecken.«

»Und diese Pilze sind essbar? Ich meine, offenbar ja, aber ich wäre nie auf die Idee gekommen.«

»Vielleicht erfahren wir ja bald, dass sie schwer giftig sind«, sagte ich, ohne eine Miene zu verziehen. »Habe ich vergessen zu erwähnen, dass ich eine Hexe bin?«

Einen köstlichen Moment lang glaubte er, ich meinte es ernst, aber als ich ›Hexe‹ sagte, verzog sich sein besorgtes Gesicht zu einem breiten Grinsen.

»Du hast einen makabren Humor, Juliet.«

»Entschuldige, aber ich konnte nicht widerstehen. Natürlich ist der Schwefelporling essbar. Oder glaubst du, ich hätte dich eingeladen, um dich zu vergiften?«

»Nein, natürlich nicht. Aber du hast was an dir ...«

»Was Mörderisches? Böses?«

»Nein, nein, so was nicht. Eher was Schelmisches, glaube ich. Damit meine ich natürlich nicht ...«

»Schon gut, ich nehme das als Kompliment. Danke. Ich fühle mich geschmeichelt.«

»Wirklich?«

»Ja. Es wäre schrecklich, wenn mich jemand für brav und langweilig und bieder hielte.«

»Glaube mir, diese Adjektive verbinde ich nicht mit dir.«

»Ich halte auch nichts von korrektem Verhalten. Korrekt wie in ›politisch korrekt‹. Das unterstellt nur, dass Leute sich so verhalten, wie man es von ihnen erwartet. Sie haben sich entsprechend zu kleiden, müssen in einer bestimmten Art reden und sind auf ihre Rolle festgelegt.«

»Ich weiß, was du meinst. Du solltest dir einige der steifen Typen ansehen, die zu uns auf die Jagd kommen. Nein, mit denen hast du nichts gemein. Das sieht man schon an deinen Kochkünsten. Nichts war weniger in Mode als die traditionelle englische Küche.«

Damit hatte er den Nagel auf den Kopf getroffen. Ich lächelte, lehnte mich zurück und hob mein Glas zum stillen Toast. Als ich mich wieder der Suppe zuwandte, fragte ich mich, ob er genug Humor hatte, um das zu verstehen, was ich getan hatte, ob er es sogar zu schätzen wusste. Ich neigte dazu, das zu bejahen, aber ich traute mich nicht, etwas zu sagen, weil ich den schönen Abend nicht verderben wollte.

Die Suppe war gelöffelt, der Wein fast getrunken. Ich brachte den Rest der Flasche zu Emma, öffnete den Meursault, brachte Brot und Butter zum Tisch und dann den Hecht. Er lag in all seiner Pracht auf meiner größten Platte, die Kiemen weit um eine Zitrone geöffnet, der Schinken knusprig auf dem Rücken.

Toby konnte nur starren. »Ein ganzer Hecht! Himmel, Juliet, das ist ja ... also, ich bin sprachlos.«

»Dann sage auch nichts, genieße ihn bloß. Nimm ein Stück Brot mit Butter und tröpfle ein bisschen Zitrone darauf. Lass dir Zeit und probiere den Wein.«

»Das werde ich.«

Ich legte ihm vor und schnitt ein Stück vom Rücken. Das Fleisch war rosa und saftig vom Schinken, es sah zum Anbeißen aus. Geradezu perfekt. Auch der Meursault war hervorragend, durchdrungen von einem Hauch von Aprikosen, vielleicht etwas zu schwer für den Fisch.

Toby aß in schweigender Andacht; er kaute langsam, als wollte er jeden Bissen bewusst erleben, jeden Schluck Wein mit klarem Kopf genießen. Ich beobachtete ihn, damit ich besser abschätzen konnte, ob seine Reaktion aufgesetzt oder echt war. Es war mir eine stille Genugtuung, dass er überhaupt nicht bemerkte, wie sehr ich ihn im Blick hatte.

Als er schließlich aufschaute, sah er mich höflich an, aber ich fand auch eine Frage in seinem Blick.

»Noch ein bisschen mehr?«

»Bitte, ja. Er schmeckt phantastisch.«

»Danke«, sagte ich lächelnd. »Aber übernimm dich nicht, das ist erst der Fischgang.«

»Es kommt noch mehr?«

»Ja, natürlich.« Dann fragte ich: »Hast du im *Seasons* schon mal Fisch gegessen?«

»Ja, einmal. Neunauge. Es war unglaublich, was er mit dem Fisch zustande gebracht hat ... oh, entschuldige.«

»Keine Ursache. Ich bin sicher, der Fisch war exzellent.«

Ich legte ihm das zweite Stück vor, und er gabelte genüsslich, während ich den Wein trank. Als Toby fertig war, lächelte er mich an und tätschelte auf seinen gespannten Bauch, ein Mann, satt und mit sich und der Welt zufrieden. Ich räumte ab, brachte den Fasan herein, tranchierte ihn am Tisch, legte zwei kleine Kartöffelchen und zwei Kleckse Rotkohl dazu.

Wieder aßen wir schweigend und konzentrierten uns auf die Sinneslust. Uns war nicht nach Plaudern zumute, es hätte abgelenkt von dem, was in diesem Moment wirklich zählte. Das Rezept war wunderbar aufgegangen, und der Wein war der ideale Begleiter, wenn ich mir auch eingestehen musste, dass Blanes Moorhuhn mit Trüffeln noch besser war. Trotzdem genoss ich jeden Bissen, und zwischen uns leerten wir die Flasche.

Als ich aufschaute, betupfte Toby seine Lippen mit der Serviette.

»Superb, ganz exquisit. Ich weiß nicht, wie ich es anders beschreiben könnte. Ich weiß nicht, ob du Gabriel Blane übertroffen hast, Juliet, aber ich bin sicher, dass ihr zwei euch nicht viel nehmt.«

Ich lächelte still vor mich hin und trank den Rest aus meinem Glas, ließ ihn auf der Zunge zergehen und behielt den Geschmack von roter Frucht und dunkler Erde im Gaumen. Toby setzte sich zurück, ein Bild der Zufriedenheit. Dann fuhr er zusammen, als ein lautes Meckern und wütendes Kreischen zu hören war.

»Was ist das denn?«

»Das sind meine Tiere. Da stimmt was nicht. Kannst

du mal nachsehen, bitte? In meinen Schuhen ...« Ich hob die Schultern.

»Natürlich.«

Er lief zur Tür.

Ich sprang auf, lief ihm nach, blieb aber in der Tür stehen, während er auf die Terrasse trat und das Licht anging, das ihn in gleißendes Weiß tauchte und alles hinter der Hecke in Dunkelheit versinken ließ.

Zurück ins Wohnzimmer. Mir blieben nur Sekunden. Emma stand schon da, bereit, mir den Reißverschluss aufzuziehen, dann trug sie die beiden Teller hinaus. Ich ließ das Kleid an meinem Körper hinuntergleiten und trat aus der Stoffpfütze heraus, dann streifte ich mir die Slipper ab. Emma war wieder da, und während ich mir die Strümpfe auszog, warf sie eine frische Leinendecke über den Tisch.

Mit einem Satz war ich auf dem Tisch und streckte mich aus. Emma sammelte meine Kleider ein, lief hinaus und kam mit dem Wein und der Sauce zurück. Ich versuchte mich zu sammeln, während ich nackt und gelassen auf dem Tisch lag.

Meine Gelassenheit hielt an, bis Emma anfing, die Pfifferlinge auf mir zu kredenzen. Sie waren heiß, und die Sauce verteilte sich zwischen den Brüsten und hinunter bis zum Bauchnabel. Ich musste schlucken und knirschte mit den Zähnen. Meine Nippel stellten sich steil auf, während die Sauce weiter den Bauch hinunterrann, in die Schenkelfalten, in meine Pussy.

Dies war das einzige Gericht, das Gabriel Blane nicht auf diese Weise servieren konnte, weder Toby noch irgendeinem anderen Gast – denn dieser Gang bestand nicht nur aus den Pfifferlingen, sondern auch aus mir.

Emma verschwand wieder. Stille. Ich wartete, während sich die Sauce weiter über meinen Körper ausbreitete. Ich hörte das Klicken der Tür und dann Tobys Stimme.

»Da war nichts. Vielleicht ein Fuchs ...«

Er blieb wie angewurzelt stehen. Ich lag absolut regungslos da, während er den Anblick in sich aufnahm. Ich servierte mich selbst, Pfifferlinge und Sauce waren nur der Schnickschnack obendrauf. Ich sah die Verblüffung in seinem Gesicht, dann änderte sich der Ausdruck, er wurde ein helles Entzücken und dann eine gierige Lust. Er trat näher, griff nach seiner Serviette und steckte sie unter seinen Kragen.

Ich begann zu zittern, als er sich vorbeugte, um mich sinnlich und fest auf den Mund zu küssen. Instinktiv stieß ich meine Zunge in seinen Mund, aber er zog sich zurück und küsste meinen Hals, wobei er ein kleines Rinnsal der Sauce aufleckte. Mein Geschlecht spannte sich, als er von mir speiste, er graste zwischen meinen Brüsten, wo die Sauce eine breite Lache bildete. Er fing die Pfifferlinge mit den Lippen ein. Jede Berührung ließ mich erschauern, und kleine elektrische Stöße schossen durch meinen Körper.

Er hatte es nicht eilig, er genoss diesen Gang, und er genoss es, mich mit Lippen und Zunge zu reizen. Er mied meine Nippel, näherte sich ihnen aber immer mehr.

Meine Instinkte übernahmen die Kontrolle, meine Muskeln begannen zu arbeiten. Ich stieß einen langen Seufzer aus, dann presste er seine Lippen wieder auf meinen Mund und fütterte mich mit einem Pfifferling. Während ich langsam kaute, kehrte er zu meinen Brüsten zurück.

Meine Lust stieg immer höher. Bald bildete mein Rücken eine gewölbte Brücke, und meine prickelnden Brüste streckten sich Toby entgegen.

Ich begann zu stöhnen, und dann schloss sich sein Mund endlich um den Nippel. Er saugte einen Pfifferling auf, leckte über die erigierte Knospe und verteilte die Sauce mit flinken Zungenschlägen.

Ich drückte mich hoch, den Mund weit aufgerissen, die Augen fest geschlossen, die Finger ins Tischtuch gekrallt. Der Nippel steckte in seinem Mund, und er saugte ihn fast bis zur Schmerzgrenze. Ich schrie auf, und Schenkel und Po vibrierten, als die Pfeile der Lust mich löcherten. Ich wollte kommen, aber er zog sich zurück und sah, wie ich hechelte.

Allmählich sackte ich wieder zurück auf den Rücken, während er um den Tisch herumging und sich den anderen Nippel vornahm. Wieder neckte und reizte er mich, und plötzlich konnte ich die Anspannung nicht länger ertragen. Meine Schenkel fielen auseinander, und nichts hielt mich mehr zurück. Ich öffnete mich ihm schamlos.

Die Sauce rann hinunter in mein Geschlecht, warm und nass, und füllte die offene Spalte und rann weiter in die hintere Öffnung zwischen den Backen. Toby saugte und leckte unentwegt weiter, während ich mich unter ihm wand. Wenn er mich jetzt an der entscheidenden Stelle berührte, würde ich sofort kommen.

Er brach ab, und ich blieb keuchend und gespreizt zurück. Die Brüste reckten sich ihm entgegen, und meine Pussy wartete zuckend darauf, von ihm gefüllt zu werden. Seine Finger berührten mich, und ich schlug die Augen auf und sah, wie er die Sauce vom Finger leckte.

Er wischte sich den Mund ab und schenkte sich Wein ein. Ich fühlte mich gut, badete in der warmen Sauce und wurde von Pfifferlingen gekitzelt. Er hob sein Glas, sah bewundernd auf meinen Leib und küsste wieder meinen Mund.

Dann bewegte er sich nach unten, um die Saucenlache um den Nabel herum aufzulecken, und von dort drang er noch weiter südlich vor und fuhr mit der Zunge langsam und neckend über den Venusberg.

Ich spreizte die Beine noch weiter, öffnete sie so weit es ging, eine anstrengende Einladung. Er trat noch einmal um den Tisch herum, befand sich jetzt zwischen meinen Beinen, und ich schloss die Augen, atmete tief und gleichmäßig und wartete auf das, was er als Nächstes tun würde.

Er leckte weiter, speiste sich aus meiner Spalte, drang tiefer vor, immer tiefer. Mein ganzer Körper war verkrampft. Seine Zungenspitze allein brachte mich an den Rand des Orgasmus. Ich langte mit beiden Händen hinunter und wollte in seine Haare greifen. Ich packte sie und lenkte den Kopf zu mir, drückte sein Gesicht gegen meine Pussy.

Seine Zunge fand meine Klitoris und stieß mit der Spitze dagegen, dann saugten die Lippen die dicke Knospe genüsslich in den Mund. Ich schrie auf, mein Unterleib, meine Backen, mein ganzer Körper, die Arme und Beine begannen zu zittern, als der Orgasmus mich überwältigte. Ich stützte mich auf Schultern und Fersen auf, der Rest meines Körpers flog auf und ab, das Becken rotierte, die Brüste hoben und senkten sich. Ich wand mich in Ekstase und wollte das hohe Plateau der Lust gar nicht mehr verlassen, so süß und verzehrend war es.

Aber irgendwann hatte ich mich wieder gefangen; Toby gelang es, die Haarbüschel aus meinen Händen zu befreien, dann konnte er sich wieder aufrichten. Ich lag immer noch keuchend da, schwach und zitternd, aber in mir eine tiefe Befriedigung. Nach einer Weile öffnete ich die Augen und brachte ein Lächeln zustande. Toby blickte auf mich herunter, sein Gesicht verschmiert von der Sauce und meinen eigenen Säften, die Haare zerzaust, das Hemd versaut.

Er erwiderte mein Lächeln mit einem wölfischen Grinsen, bückte sich, schlang die Arme unter meine Knie, zog mich auf dem Tisch nach vorn und auf seinen aufrecht stehenden Schaft. Mir stockte der Atem, als er mich derart überraschend füllte. Ich hatte überhaupt nicht registriert, dass er ihn aus der Hose geholt hatte, und jetzt steckte er tief in mir. Er begann mit gleichmäßigen Stößen, und mein Körper rutschte in den glitschigen Saucenresten hin und her.

Ich ließ den Oberkörper nach hinten sinken, stützte mich auf den Ellenbogen auf, ließ ihn arbeiten und genoss seine schnelleren Stöße. Es würde ihm bald kommen, das fühlte ich, er würde mich mit seinen Spermien füllen und mich vielleicht sogar schwängern, aber das war mir egal. Ich wollte es, was auch immer er mit mir anstellte, was immer er mir geben wollte. Meine Hände verkrampften sich wieder in das Tischtuch, während ich meinen Brüsten zusah, die bei seinen Stößen wild hüpften, klebrig von der Sauce und wahnsinnig empfindlich.

Er verlangsamte das Tempo wieder und begann sich auszuziehen, ohne seinen Schaft herauszuziehen. Ich liebte seine geilen Blicke auf meinen Körper. Er ließ das Jackett von den Schultern rutschen und löste seine Krawatte.

Ich begann meine Nippel zu drücken, quetschte sie zwischen Daumen und Zeigefingern und sah ihm dabei in die Augen. Ich wollte ihn weiter anmachen und mich selbst auch. Während er sein Hemd aufknöpfte, ruckte ich mich ihm entgegen, und er stieß mit langsamen Hüftbewegungen in mich hinein.

Er warf das Hemd auf den Boden, dann öffnete er den obersten Hosenknopf, woraufhin die Hose von seinen Hüften rutschte. Sein Schaft blieb immer noch in mir, aber als er sich bückte, um die Schnürsenkel zu öffnen, glitt er aus mir hinaus. Ich streckte mich und schnurrte leise, bereit für alles, was er mir geben wollte. Er trat an meine Seite, den steifen Schwanz in der Hand, den er sanft rieb. Ich öffnete den Mund für den Fall, dass er eine andere Öffnung ausprobieren wollte, aber er grinste nur und hob die Terrine mit der Sauce für die Pfifferlinge.

Ich streckte meine Zunge hinaus und ahnte den dekadenten Akt, den er ausführen wollte. Tatsächlich tunkte er seinen Penis in die Sauce, und als er ihn herauszog, tropfte es dunkelbraun von der Spitze. Ich verrenkte den Hals, um ihn aufnehmen zu können, und saugte den schweren Geschmack in mich hinein, nicht nur von Pfifferlingen und Fasan, sondern auch von ihm und von mir. Was für eine Mischung.

Der Schaft fühlte sich riesig in meinem Mund an, aufregend hart und glitschig von der Sauce. Ich schluckte, saugte den Geschmack hinunter, legte mich auf eine Seite und speiste von ihm, wie er vorher von mir gespeist hatte.

Er griff mit einer Hand in meine Haare und mit der anderen zwischen meine Backen, und während ich ihn eifrig saugte, presste er einen Finger in meine Kerbe.

Er drückte sanft gegen meinen Anus, schlüpfrig von der Sauce, und drang langsam ein. Ich richtete mich auf die Knie auf, denn plötzlich kehrte meine Energie zurück. Mein Po streckte sich ihm entgegen, und sein Finger konnte tiefer eindringen.

Im nächsten Moment zog er sich aus meinem Mund zurück, er griff an meinen Körper, zog mich durch die Sauce, und wir beide lachten hitzig und aufgeregt. Meine Knie rutschten auseinander, aber er hielt mich fest, wobei sein Finger aus mir glitt, und weil ich keinen Halt mehr hatte, fiel ich mit dem Gesicht in die Sauce, während mein Po hoch in die Luft ragte.

Ich wusste, was er vorhatte, und in meinem Bauch flatterte es bei diesem Gedanken. Aber ich versuchte erst gar nicht, mich zu befreien, ich blieb in dieser Position liegen, und dann spürte ich auch schon den harten Schaft zwischen meinen gespreizten Backen. Ich zwang mich zu entspannen und biss mir fest auf die Unterlippe.

Ich hörte, wie er sich bewegte, und dann spürte ich auch schon die warme Sauce über meine Backen rinnen, völlig unerwartet. Ich keuchte und kicherte, als die sämige Flüssigkeit in die Kerbe rann, die kleine Öffnung kitzelte und meine Pussy füllte.

Er sank nieder und begann wieder zu lecken, aber es waren nicht die kleinen neckenden Tupfer wie vorher, sondern saugende, schlürfende Bewegungen des ganzen Mundes, bis ich zu hecheln anfing, den Tisch festhielt und meine Zehen sich vor Lust krümmten.

Er ließ mich nicht zur Ruhe kommen und verwöhnte mich weiter. Ich schwenkte den Unterleib hin und her, ließ das Becken rotieren und spürte, wie ich mich einem weiteren Orgasmus näherte. Dann hörte er abrupt auf, erhob sich und stopfte den Schaft ansatzlos in mich hinein. Er packte mich an den Hüften und ritt mich schnell und hart, holte keuchende Laute aus meiner Kehle, während in meinem Kopf Gedanken der Erleichterung und des Bedauerns miteinander rangen, dass er mich nicht anal genommen hatte.

Aber das tat er dann doch. Die Eichel drückte gegen den kleinen empfindlichen Ring zwischen den Backen. Ich zuckte leicht, und stumm forderte ich ihn auf, weiter vorzudringen. Er drückte fester zu, und ich zwang mich zum Entspannen, und als der Augenblick kam, war da kein Schmerz, nur ein wunderbares Gefühl des Streckens, das sich mit dem Wissen mischte, besonders unanständig zu sein.

Er stieß zu, tief hinein, und ich schnappte nach Luft und griff mit den Fingern in das verschmierte Tischtuch. Ich hörte sein lustvolles Grunzen, als seine Stöße plötzlich härter und schneller wurden.

Seine Hände griffen an meine Brüste, und ich verrenkte den Hals und sehnte mich nach seinem Mund. Ich spürte sein Gewicht auf mir, und dann trafen sich unsere Lippen, und er pumpte ekstatisch in mich hinein.

Ich wusste, ich würde jeden Moment kommen, und auch er stand kurz davor. Er pflügte in mich hinein, unbeherrscht, unkontrolliert, aber oh, so gut.

Wir klebten aneinander, trunken und beschmutzt, wir kopulierten wie die Verrückten, und nichts anderes war uns wichtig als die Lust, die wir uns gegenseitig bescheren konnten.

Achtes Kapitel

Nach meiner Nacht mit Toby verlief mein Leben in ruhigen Bahnen. Wir waren öfter zusammen, und es gefiel mir. Meine Gedanken an Ian Marsh und an rauen Sex mit ihm vor dem Schrein im Wald wurden aus meinem Bewusstsein verdrängt. Toby mochte weniger rau sein, weniger animalisch, aber seine Mischung aus altmodischer Höflichkeit und großer Offenheit zu allen Arten von Sex hielt mich bei Laune.

So blieb es den ganzen Monat und auch noch im November. Das Wildern gab ich auf, denn ich konnte mich auf dem Besitz der Paxham-Jennings' frei bewegen. Natürlich juckte es mich manchmal noch in den Fingern. Aber es wäre sehr riskant gewesen.

Marsh hatte gesehen, dass jemand seinen Pflaumenbaum geplündert hatte, und ich konnte mir sehr gut vorstellen, wie wütend er darüber war. Er hatte begonnen, zu ständig wechselnden Zeiten durch den Wald zu patrouillieren, die Schrotflinte sein ständiger Begleiter.

Toby erfuhr nie, dass sein Besitz den Großteil der Zutaten meines Menüs geliefert hatte, und ich sagte es ihm auch nicht. Es kam ihm einfach nicht in den Sinn zu fragen, woher ich den riesigen Hecht hatte, denn es gab weit und breit keinen Fischhändler, der solche Monster anbieten konnte.

Außerdem hatte ich gar keine Zeit zu wildern, denn es geschahen viele Dinge, und beileibe nicht alle gut.

Ich konnte nun im See angeln, Pilze ernten und so viele Fasane haben, wie ich wollte. Bei so vielen kostenlosen Produkten fiel es mir leicht, meine Pläne zu verwirklichen. Mit den Steinpilzen stellte ich viele Pasteten her, die ich zuerst Toby und den Gästen auf Alderhouse anbot. Sie fanden den ungeteilten Beifall, also konnte ich mit der Herstellung im größeren Stil beginnen.

Erst nach und nach stellte ich fest, dass ich mich übernommen hatte. Das erste Problem war der Vertrieb. Wie ich erwartet hatte, spielte mein schlechter Ruf, für dessen Verbreitung Gabriel Blane gesorgt hatte, keine Rolle, wenn es darum ging, dass die Restaurants Spezialitäten preiswert einkaufen konnten.

Das Problem ergab sich daraus, dass ich die Erwartungen meiner Kunden nicht erfüllen konnte. Meine Ware sagte ihnen zu, aber sie verlangten, dass sie im Handumdrehen geliefert wurde, und fast immer in kleinen Mengen. Jeden Morgen ging ich mit einem prall gefüllten Rucksack zur Post, um die Pasteten zu verschicken, die ich am Abend bis in die Nacht hinein hergestellt hatte. Die Versand- und Portokosten fraßen einen beträchtlichen Teil meines Profits auf.

Ich brauchte ein Auto und auch einen Führerschein. Ich nahm Stunden, zuerst bei Toby, was unsere Beziehung beinahe zu einem vorzeitigen Ende gebracht hätte, dann bei Emma, was damit endete, dass ich Lukes alten verbeulten Pick-up in einen Teich setzte. Schließlich ging ich zu einem professionellen Fahrlehrer, und mit mehr Glück als Verstand bestand ich die Prüfung auf Anhieb.

Das war nicht das Ende meiner Probleme. Da waren die Rechnungen. Im *Seasons* hatte ich nie etwas mit Rechnungen zu tun gehabt; die Lieferungen trafen ein, und irgendwie wurden sie bezahlt. Es war ein großer Schock für mich, als ich erfuhr, dass jedes Restaurant ein Zahlungsziel von dreißig Tagen forderte. Anfang Dezember hatte ich mehrere hundert Pfund ausgegeben und noch keinen Penny eingenommen.

Eines Morgens rief ich Ralph Brookman auf seinem schwimmenden Restaurant an und erfuhr, dass es nicht mehr schwamm. Beim Flambieren am Tisch hatte es einen Unfall gegeben. Zum Glück hatte man Gäste und Personal rechtzeitig evakuieren können. Das Wrack lag jetzt bei Marlow fest. Brookman hatte mir fast zweihundert Pfund geschuldet.

Ich brach in Tränen aus. Seit einem Monat arbeitete ich, und ich hatte nichts erreicht, außer, dass ich mich bis zur Erschöpfung verausgabt und auch noch Geld verloren hatte. Nein, das war es nicht wert.

Also gab ich auf. Ich verbrannte meine Briefbogen und Visitenkarten, die letzten Pakete und auch die kleinen Pastetenpfannen warf ich ins Feuer. Ich saß daneben und schaute schluchzend zu.

Während ich auf die letzte Glut in der Asche starrte, hörte ich hinter mir das Klacken des Gartentors. Ich drehte mich um und hoffte Emma zu sehen, aber es war der Briefträger. Ein großer dicker Umschlag mit dem Absender der Obersten Finanzbehörde lag da. Ich hatte damit gerechnet, aber trotzdem ging ich mit dem Umschlag niedergeschlagen in die Küche.

Ich braute mir einen Kaffee, aß eine Scheibe Brot mit Marmelade, machte mein Bett, erledigte den Abwasch von gestern Abend, fütterte die Hühner, begrüßte die Ziegen und sagte mir dann, dass es keinen Sinn ergab, das Unvermeidliche so lange aufzuschieben.

In der Küche riss ich den Umschlag auf und zog den

Brief heraus. Ich war auf den Schock vorbereitet; die Finanzbehörde würde ein paar hundert Pfund von der Erbschaft haben wollen, vielleicht sogar zehntausend, wenn ich Pech hatte.

Einhundertsiebenundzwanzigtausend Pfund und einunddreißig Pence.

Ich saß da und starrte auf das Papier, das vor meinen Augen verschwamm. Die Summe war unmöglich. Sie mussten sich verrechnet haben. Wahrscheinlich hatten sie mir die Rechnung eines anderen geschickt.

Aber das hatten sie nicht. Das Cottage lag in einer attraktiven ländlichen Gegend, zehn Minuten von der Autobahnauffahrt Ilsenden entfernt, und mit der guten Verkehrsanbindung wurde es auf eine halbe Million Pfund geschätzt. Ich konnte gegen den Bescheid Einspruch einlegen, aber ich hatte den Verdacht, dass es danach noch schlimmer kommen würde.

Nach ein paar Stunden setzte ich mich hin und berechnete die Lücke, die der Betrag in meine Finanzen reißen würde. Was blieb mir noch übrig? Die Antwort war ernüchternd – es blieb nicht genug. Ich konnte die Forderung der Finanzbehörde erfüllen, und dann konnte ich noch eine Weile vom Erbe der Granny leben. Aber ob ich nun sparsam lebte oder wie bisher – ich brauchte dringend einen Job.

Entweder das, oder ich musste das Cottage verkaufen und in eine preiswertere Gegend ziehen. Aber ich hatte so viel von mir in das Cottage gesteckt, und ich hatte mich an das Leben in dieser Gegend gewöhnt. Ich hatte Toby, und er war der beste Partner, den ich bisher gehabt hatte. Dann war da Emma, die mir so nah war wie keine andere Freundin vorher. Dann der Besitz selbst, nicht nur ein Stück Land mit einem Cottage drauf, sondern ein Stück Erinnerung an meine Kindheit.

Bisher hatte ich Tobys Schimpfen auf die Erbschaftssteuer nicht unterstützen wollen, aber das hatte sich gründlich geändert. Jetzt konnte er meine Rettung sein. Er hatte mir schon mal angeboten, das Catering zu übernehmen, wenn sie Gesellschaften im Haus hatten. Das würde viel Arbeit und Stress bedeuten, und natürlich klang es nicht gut, dass mein Freund gleichzeitig auch mein Boss sein würde. Auf der anderen Seite war mein Arbeitsplatz ganz in der Nähe, und ich musste nicht jeden Morgen pendeln.

Es war trotzdem ein Schock für mich. Eine lange Zeit saß ich wie betäubt auf dem Küchenstuhl und wartete auf den nächsten Schicksalsschlag.

Ich musste mit jemandem reden, am liebsten mit Emma, aber ich musste auch Toby finden. Er würde mit mir fühlen, da war ich ganz sicher. Der Vorteil bei Toby war, dass ich immer ziemlich genau wusste, wo er sich gerade aufhielt. Vor einer Stunde oder so hatte ich Schüsse aus dem Wald gehört.

Draußen war es kalt; in der Nacht hatte es Bodenfrost gegeben. Mein Atem schwebte weiß in die Luft. Es war ein klarer Tag, und die Sonne strahlte auf die vielen herbstlichen Farben des Waldes. Die Schönheit um mich herum löste eine milde Melancholie in mir aus.

Sie standen noch in einer Reihe, als ich bei ihnen eintraf, die Gruppe bestand aus fünfzehn Leuten, und Toby hatte mir gesagt, dass ihre Firma den Termin gebucht hatte. Sie schossen nicht auf Fasane, sondern auf Tontauben. Marsh bediente die Wurfmaschine. Ich stellte mich hinter Toby, der sich zu mir umdrehte und mich breit angrinste.

»Willst du auch mal?«

»Danke, nein. Ich ... eh, ich habe schlechte Nachrichten erhalten.«

»Oh, das tut mir Leid. Kann ich etwas für dich tun?«

»Ja. Kann ich mit dir reden?«

Er kam näher, das Gesicht voller Sorge. Ich gab ihm den Brief. Er überflog ihn und schüttelte den Kopf.

»Was für eine Gemeinheit! Sie sollen sich schämen. Was für eine Bande von Raubrittern!«

»Aber so ist es eben, da kann man nichts machen.«

»Es ist trotzdem staatlich abgesegneter Raub! Das ganze System zielt darauf ab, alt eingesessene Familien von ihrem Land zu vertreiben, so einfach ist das. Der Neid diktiert solche Gesetze. Verdammte Ungerechtigkeit! Aber du wirst doch nicht verkaufen, Juliet?«

»Nein, ganz so schlimm ist es nicht. Aber ich muss mir eine Arbeit suchen. Du hast mir mal angeboten, bei euch für die Gäste zu kochen. Wäre das möglich? Ich glaube, wir könnten viel einsparen, und mein Gehalt ...«

»Du brauchst nichts mehr zu sagen. Abgemacht. Aber noch nicht diese Woche, denn ich habe einen Vertrag mit dem Caterer. Aber in der nächsten Woche kannst du anfangen.«

»Was wird dein Vater sagen?«

»Er wird sehr dafür sein. Er preist dich in den höchsten Tönen und sagt, ich soll mit dir alles klar machen, bevor ein anderer dich vor meiner Nase wegschnappt.« Er sah sie an und seufzte. »Vielleicht sollte ich das.«

Er lachte, aber in dem Lachen schwang auch ein bisschen Verlegenheit mit. Ich fragte mich, ob er es als

Scherz gemeint hatte oder ob er nur mal einen Versuchsballon steigen lassen wollte. Ich zwang mich zu einem Lächeln und wusste nicht, was ich sagen oder denken sollte. Er nahm mich an den Schultern, küsste mich und fuhr durch meine Haare.

Ich lächelte, und diesmal war mir auch so. Ich fühlte mich dankbar und ein wenig verwundert, denn ich konnte kaum glauben, dass er nach einer so kurzen Zeit schon ernsthaft an Heirat dachte. Ich selbst wäre nie auf die Idee gekommen, und es wäre auch nicht gut gewesen, jedenfalls nicht, so lange ich noch meinen Phantasien mit dem Wildhüter nachhing.

Aber über den Job freute ich mich, und innerlich empfand ich eine tiefe Erleichterung.

»So gefällst du mir schon besser«, sagte Toby. »Komm, versuch einen Schuss. Stell dir vor, die Tontaube ist der Kerl von der Finanzbehörde, der dir den Brief geschrieben hat, der Assessor, oder welchen hochtrabenden Titel der Bandit auch haben mag.«

Es war kindisch, aber es erfüllte mich mit Genugtuung. Ich nahm die Waffe und stellte mich auf Tobys Platz. Ian Marsh bedachte mich mit einem wenig ermutigenden Blick, während er die Wurfmaschine lud. Toby reichte mir zwei Patronen.

»Hast du schon mal auf Tontauben gezielt?«

»Ich habe noch nie auf irgendwas gezielt.«

»Es ist ganz einfach. Du drückst den Schaft gegen deine Schulter, ja, so. Wenn du bereit bist, rufst du Ian, dass er loslassen soll, du zielst und schießt. Das ist alles.«

Er hatte das Gewehr für mich geladen. Ich fühlte mich wahnsinnig unsicher, und ich wusste natürlich, dass alle fünfzehn Augenpaare der Gäste auf mich gerichtet waren, und Marsh und Toby beobachteten mich natürlich auch. Ich hob die Waffe, drückte den Holzschaft gegen meine Schulter und war sicher, dass ich mich nach dem Rückstoß auf dem Hintern wieder finden würde.

Ich rief, Ian Marsh drückte auf den Auslöser, und dann sah ich die Tontaube gegen den grauen Himmel. Ich zog den Hahn durch, dann gleich danach den zweiten. Zweimal knallte es ohrenbetäubend, während die Tontaube schön weitersegelte und unbehelligt am Ende des Feldes landete.

Weiter unten in der Reihe hörte ich ein leises Lachen, und ich spürte, dass ich rot wurde. Plötzlich war ich entschlossen, holte zwei Patronen aus Tobys Vorrat und schob sie in die Läufe. Marsh hatte seine Maschine schon geladen.

»Zielen, Mädchen, und sanft abdrücken«, rief er.

Ich nickte, drückte den Schaft gegen meine Schulter und rief. Die Tontaube schoss hoch, ich folgte ihr mit den Läufen, drückte ab und dann noch mal. Der Ton explodierte in tausend Stücke. Ian Marsh nickte zufrieden, und ich spürte ein warmes Gefühl, das von meiner Brust bis in meinen Schoß floss.

Es war ganz sicher nicht der Augenblick, an eine Heirat mit Toby zu denken.

Das war alles ein bisschen viel gewesen. Innerhalb weniger Stunden war ich von einer unabhängigen, unzufriedenen Frau zu einer abhängigen Frau mit einer soliden Sicherheit im Kreuz geworden. Eigentlich hätte ich glücklich sein sollen, aber ich war verwirrt.

Ich wollte mit Emma sprechen, aber Toby wollte, dass ich am Mittagessen für seine Gäste teilnahm. Also verbrachte ich den Rest des Tages mit sechzehn jungen Männern, und die meisten flirteten mit mir, auch wenn sie von meiner Beziehung zu Toby wussten. Eigentlich hätte ich in der Sonne ihrer Beachtung baden sollen, aber mein Herz war nicht dabei.

Vor dem Abendessen verabschiedete ich mich, aber Toby kam später zu mir. Wir liebten uns, und wenn auch mein Körper mit ganzem Herzen dabei war – meine Gedanken waren woanders. Er strengte sich an, er war wunderbar unanständig, aber es kam mir nicht, ich war viel zu nervös, um mich zu konzentrieren. Falls es ihm auffiel, so sagte er nichts.

Wie immer war Emma am Morgen da, und ich war extra früh aufgestanden, um sie beim Füttern der Hühner abzufangen. Sie lächelte mich fröhlich an.

»Hi, Juliet. Musst du weg?«

»Nein, ich habe mein Unternehmen an den Nagel gehängt.«

»Oh. Wieso?«

»Zu viel Arbeit und kein Geld. Aber das ist noch nicht alles. Die Finanzbehörde will einhundertsiebenundzwanzigtausend Pfund von mir haben.«

»Aua! Das ist verdammt viel. Hast du das Geld?«

»Ja, aber dann ist alles weg, und ich muss einen Job annehmen.«

Sie verzog das Gesicht, auch wenn sie das Dilemma nicht so richtig einsah, was ich gut nachvollziehen konnte. Sie musste jeden Tag zur Arbeit gehen und erhielt bestenfalls ein Taschengeld dafür.

»Was willst du denn tun? Wenn du wegziehst, bringe ich dich um.«

»Danke, Emma. Mit solchen Freunden ...«

»Na, wenn schon.«

»Ich koche im Alderhouse. Von nächster Woche an.«

»He, prima. Da bist du ja richtig auf die Füße gefallen.«

»Ja, kann man wohl so sagen.«

»Ist das alles? He, komm mit deinen Füßen auf die Erde zurück, Juliet.«

»So einfach ist das nicht. Schließlich wird Toby mein Boss sein, und das behagt mir nicht.«

»Eh? Ich weiß nicht, was du willst. Toby ist dein Boss, das ist doch phantastisch. Wenn es Probleme gibt, löst du sie mit einem Blowjob, und er lächelt wieder. Zeige mir den Mann, der den Boss rauskehren kann, wenn du seinen Schwanz im Mund hast.«

»Sehr komisch, Emma. Aber ist auch egal, denn formal wird Donald mein Boss sein, schätze ich.«

»Also bläst du ihn auch.«

»Emma!«

Sie lachte und warf eine letzte Hand voll Körner den Hühnern hin. Ich war mit meinen Enthüllungen noch nicht am Ende.

»Das ist es nicht allein, Emma. Toby hat gesagt ... nun, also er hat es nicht genau so ausgesprochen, aber er hat gesagt, dass er ans Heiraten denkt.«

»Oh? Mit wem?«

»Emma, kannst du auch mal ernst sein? Ich stehe hier und befinde mich in einer emotionalen Krise!«

»Entschuldige, aber das ist es ja, was ich nicht verstehe. Er will dich also heiraten. Großartig!«

»Und genau da liegt das Problem. Ich weiß eben nicht, ob ich es auch großartig finden soll.«

»Du machst Witze. In welcher Welt lebst du eigentlich, Juliet? Der Kerl ist Alleinerbe des gesamten Besitzes; es ist weit und breit der einzige Besitz, der seine Bewohner ernährt. Er hat ein herrliches Landhaus, eines der schönsten in der ganzen Gegend, er ist gut im Bett, und er folgt dir wie ein Hündchen. Okay, er ist auch ein arroganter Pinsel und ein Arschloch, aber das ist er für dich nicht. Heirate den Bastard!«

»Er hat noch nicht um meine Hand angehalten und ...«

»Dann sage du ihm, dass du ihn heiratest.«

»Nein, das meine ich nicht. Irgendwie fühlt es sich nicht richtig an. Verstehst du, ich kriege Ian Marsh nicht aus dem Kopf.«

»Na und? Wenn du gefährlich leben willst, dann heiratest du Toby und vögelst nebenbei mit Ian Marsh. Du wirst rundherum glücklich sein.«

»Jetzt machst du aber Witze! Das ist, als würde man auf die Katastrophe warten.«

»Warum denn? Du musst nur geschickt sein. Warum sollte Toby etwas ahnen, so lange er weiterhin seinen Spaß mit dir hat. Marsh wird nichts erzählen, weil er sonst gefeuert wird ... Ich werde auch nichts sagen, solange du mich mit allen schmutzigen Einzelheiten versorgst.«

»Wenn man dich so reden hört, stellt sich alles so einfach dar. Komm schon, Emma, was würdest du sagen, wenn Ray eine Affäre hätte?«

Sie verzog das Gesicht und hob die Schultern. Nein, glücklich wäre sie dabei nicht. Und mir würde es auch so gehen, wenn ich hörte, dass Toby eine andere Frau hätte, selbst wenn ich gleichzeitig mit Ian Marsh ins Bett ginge. Natürlich sollte man nicht auf den Partner eifersüchtig sein, wenn man selbst nicht treu ist, aber Gefühle lassen sich eben nicht so nüchtern steuern.

»Ja, gut, ich würde sauer sein«, gestand Emma, als wir zurück ins Haus gingen. »Aber du musst das in deinem Kopf klären, Juliet. Vergiss Ian Marsh. Er ist schlecht, und das weißt du auch. Okay, du stehst auf verruchten Typen, sie machen dich an. Aber du wirst es bereuen, wenn du dich mit ihm einlässt.«

Ich antwortete nicht. Da sagt man, eine moderne Frau könnte alles haben, was sie wollte, aber das ist blanker Unsinn. Man musste sich entscheiden. *Ich* musste mich entscheiden. Irgendwann einmal.

»Kaffee, Emma?«

»Nein, danke. Ich habe wahnsinnig viel zu tun. He, wenn es für mich eine Stelle auf Alderhouse gibt, ich meine, ich könnte die Drecksarbeit für dich machen ... Ich wäre sofort dabei. Ich habe es satt, mir den Arsch aufzureißen – für nichts.«

»Ich höre mich mal um, aber ...«

»Ja, ich weiß, aber du weißt auch, dass ich hart arbeiten kann. Vielleicht kannst du Toby ja überzeugen.«

»Ich probier mein Bestes, versprochen.«

»Danke, Juliet.«

Sie beugte sich vor, küsste mich und ging hinaus zu ihrem Traktor, den sie gleich vor meinem Tor abgestellt hatte. Sie stieg auf, setzte sich und winkte mich heran.

»He, wie heißt dieser Nobelschuppen, in dem du gearbeitet hast?«

»*Seasons.* Warum?«

»Pleite.«

Das Aufdröhnen des Traktormotors überlagerte meinen Überraschungsschrei. Sie sah, dass ich meine Arme schwenkte, aber sie warf mir nur noch eine Zeitung zu, dann tuckerte sie davon. Ich hob die Zeitung auf und war sicher, dass sie sich geirrt hatte.

Aber es stimmte. *Seasons* hatte zugemacht.

Viele Hintergrundinformationen enthielt der Artikel nicht, aber ich konnte zwischen den Zeilen lesen. Im Grunde lief es darauf hinaus, dass Blane zu hoch hinaus gewollt hatte. Die drei neuen Restaurants waren zwar am Abend der Eröffnung ausgebucht gewesen, aber danach hatte das Interesse seines Publikums rapide nachgelassen. Der wirkliche Grund für die Pleite war eine Ironie, die mich fast körperlich befriedigte.

Es war Blanes tiefe Überzeugung gewesen, dass es sein Name war, der die Gäste anzog. Das hatte sich zunächst als wahr erwiesen. Der größte Teil der Gäste, der keine Ahnung hatte, wie es in einer Restaurantküche zuging, glaubte fest daran, dass Gabriel Blane persönlich für sie kochte, und er hatte sie auch gern in diesem Glauben gelassen.

Aber als er drei weitere Restaurants eröffnete, war auch dem einfältigsten Gast klar, dass er nicht überall kochen konnte – die Enttäuschung war groß, die Gäste blieben aus. Der Niedergang setzte rasant ein, und die Bank drehte ganz schnell den Geldhahn zu. Blane konnte die aufgelaufenen Rechnungen nicht bezahlen, und nachdem Bank und Finanzbehörde zugeschlagen hatten, blieb ihm nichts anderes übrig, als zu verkaufen. Viel war ihm vom Erlös nicht geblieben.

Ich muss zugeben, es war eine sehr befriedigende Nachricht. Okay, ich bin eine kleine nachtragende Hexe, aber es tat mir gut. Ich hatte keinen Zweifel, dass er wieder ins Geschäft kommen würde, entweder schrieb er Kochbücher, oder er würde sogar eine Kochshow im Fernsehen bekommen. Trotzdem war es gut zu wissen, dass er ein bisschen von der Verzweiflung fühlte, in die er mich damals gestürzt hatte.

Toby erhielt seinen Blowjob, und Emma ihre Arbeitsstelle. Wahrscheinlich hätte ich ihn auch ohne diese Zutat überzeugen können, aber es gab mir ein wunderbar frivoles Gefühl, mich vor ihn zu knien, um etwas zu erreichen. Ich weiß, viele Männer glauben, dass alle Frauen so etwas mit Hintergedanken tun, aber auf mich trifft das nicht zu. Ich gebe einen Blowjob, wenn ich einen geben will.

Unsere Arbeit begann mit der nächsten Jagdgesellschaft. Wieder handelte es sich um Angestellte einer Firma, zweiundzwanzig Männer und Frauen. Es waren auch einige Vegetarier darunter, und ich musste meinen Stolz schlucken und eine geeignete Alternative anbieten. Es lief alles wie am Schnürchen, und Emma und ich erwiesen uns bald als eingespieltes Team. Fast alle Zutaten kamen aus der Gegend, weil Emma jeden Farmer kannte und wusste, wo es die besten Produkte gab.

Ich übernahm die Gepflogenheit des Seasons, den Gästen das Gericht und die Philosophie des Menüs zu erklären, denn ich glaubte daran, dass die Gäste ihr Essen bewusster zu sich nahmen, wenn sie wussten, warum sich die Küchenchefin für diese bestimmte Zutat entschieden hatte. Als ich sah, wie unsere Gäste den Ziegenkäse mit Cidre verschlangen, erhielt ich eine Bestätigung für meine These.

Der Schwerpunkt der einheimischen Produkte bot mir auch die Gelegenheit, meine eigenen Erzeugnisse unterzubringen. Toby hatte nichts dagegen, dass ich meinen normalen Preis dafür in Rechnung stellte, solange das Budget nicht überschritten wurde, das mehr als großzügig war. Diese erste Party allein half, die Hälfte meiner aufgelaufenen Schulden zu tilgen.

Von den zweiundzwanzig Gästen schickten achtzehn eine E-Mail, in der sie sich für den wunderbaren Aufenthalt bedankten. Von den achtzehn erwähnten fünfzehn die hervorragende Küche. Toby war begeistert, seine Eltern waren begeistert, und ich fühlte mich in meinem Beruf wieder richtig zu Hause, was nicht mehr der Fall gewesen war, seit ich feststellen musste, dass Blane mehr an meinem Körper als an meinen Kochkünsten interessiert gewesen war.

Die nächste Jagdgesellschaft kam zu Weihnachten, und sie war anders als alle anderen. Weihnachten trat die Jagd in den Hintergrund. Höhepunkt sollte das Weihnachtsessen sein, und ich war entschlossen, dass es stilvoll und unvergesslich sein würde.

Wir hatten vierzehn Gäste, alle wohlhabend, alle Singles und alle mit der Erwartung, vorzüglich unterhalten zu werden und Kraft für Leib und Seele zu tanken. Die meisten Gäste waren älter. Es waren auch vier Witwen darunter, eine Baroness und eine pensionierte Weinhändlerin. Einige der Gäste waren Stammgäste auf Alderhouse, und Toby warnte mich, dass sie sehr anspruchsvoll waren.

Emma und ich legten uns mächtig ins Zeug und arbeiteten mehrere Tage von früh bis spät an den Vorbereitungen. Ich würde keine Zeit haben, meine Eltern am Heiligabend zu besuchen, deshalb lud Emma mich ein, mit zu ihrer Familie zu gehen, wenn wir in der Küche fertig waren. Ich sagte zu, denn ich fürchtete, wenn ich auf Alderhouse blieb, würde ich nicht zur Ruhe kommen.

Geplant hatte ich drei Gänge und jeweils drei Alternativen von klassisch bis kreativ. Danach konnten wir eine Auswahl an Käse, Obst und Nüssen anbieten.

Sollten sie sich doch den Bauch voll schlagen, bis sie umfielen.

Räucherlachs wurde von fast jedem bei einem Weihnachtsmenü erwartet. Ich bediente mich einer langjährigen Blane-Verbindung, Typen aus Glasgow, die gute (wahrscheinlich gestohlene) Ware lieferten, die meiner Meinung nach besser und preiswerter war als andere Angebote. Natürlich sagte ich Toby nichts davon. Alternativ für Vegetarier gab es ein klassisches französisches Gericht, Ziegenkäse in Blätterteigpastete, und für die Feinschmecker sollte es Wachtelbrüstchen in Weinsülze geben.

Nicht nur der Räucherlachs war Weihnachten unverzichtbar, sondern auch der Truthahn. Ich hatte es geschafft, einen anständigen Vogel aufzutreiben, und bestrich ihn ausgiebig mit Speck, damit er schön saftig blieb. Für die Kenner hatte ich eine Orkney Gans eingekauft, und die Fischliebhaber würden sich am Karpfen Chambord erfreuen, der zu meiner Spezialität zu werden schien.

Der Weihnachtspudding ist eine so traditionelle Angelegenheit, dass ich wahrscheinlich auf Alternativen hätte verzichten können, aber seit ich wusste, dass wir Weihnachten Gäste haben würden, war ich gedanklich mit anderen Nachtischmöglichkeiten beschäftigt. Sahne von Kühen aus Jersey, angereichert mit einem Schuss Armagnac, vermischt mit Brandy- und Rumbutter. Da es aber auch Gäste gibt, die keine Lust haben, nach den Tagen ihre Pfunde abzutrainieren, bot ich eine Tarte Tatin an, leicht und bekömmlich.

Die Gäste hatten diniert, und auch wir waren fertig. Mein Bauch war voll – auch vom Alkohol, denn ich konnte nicht verstehen, wie man Köstlichkeiten wie Grand Cru Tokay d' Alsace und fünfzehn Jahre alten St. Croix-du-Mont in halben Flaschen zurücklassen konnte.

Emma war noch schlechter dran als ich, weil sie zum Wein auch noch Rum getrunken hatte, und den Rest der Flasche nahm sie mit, angeblich, um uns draußen gegen die Kälte zu wappnen.

Ich hätte erschöpft sein sollen, aber nachdem ich Toby geküsst und ihm versprochen hatte, ihn später zu sehen, fühlte ich mich voller Energie. Es war ein kalter Abend, und der blasse Mond wies uns den Weg.

Unterwegs tranken wir den Rum aus der Flasche, während wir Arm in Arm durch die Nacht schlenderten und mit unseren lauten Stimmen völligen Unsinn schwatzten. Zum Glück konnte uns niemand hören, denn die Nacht war klamm und still, und sogar auf der Autobahn schien nichts los zu sein.

Als wir mein Cottage erreichten, hatten wir die Rumflasche geleert, also holte ich eine Flasche Champagner – zu betrunken, um vernünftig zu sein.

Mitternacht war längst vorbei, und im Haupthaus der Bourne Farm waren die Lichter verlöscht. Im Anbau, den Luke und seine Frau Milly bewohnten, brannte noch Licht, und wir konnten ausgelassenes Lachen und laute Musik hören.

Emma hämmerte mit der Champagnerflasche gegen die Tür, bis Mark uns schließlich einließ. Er küsste uns fröhlich und führte uns ins Wohnzimmer, wo sie alle versammelt waren – und wie!

Den Anblick würde ich nicht so schnell vergessen. Mir war zwar aufgefallen, dass Mark barfuß zur Tür gekommen war, aber ich hatte mir nichts dabei gedacht. Luke trug nur noch seine Hose. Er trank Cidre aus der

Flasche, und was er nicht schlucken konnte, lief aus beiden Mundwinkeln über seine dunkel behaarte breite Brust.

Milly war auch schon ziemlich fortgeschritten, das Gesicht gerötet von Alkohol und Erregung. Sie trug nichts als ihr Höschen, und ihr schwangerer Bauch streckte sich uns rund entgegen. Die vollen Brüste waren schon mit Milch gefüllt. Danny und seine Freundin Lisa hatten sich besser gehalten und nur ihre Jeans verloren, während Ray noch völlig bekleidet dasaß. John, der andere Bruder, zeigte auch seinen blanken Oberkörper.

Sally, Marks Freundin, war nicht nur splitternackt, sie hatte auch einen verräterisch roten Po, was ich sehen konnte, als sie aufstand und nach Zigaretten griff. In der Mitte des Kreises, den sie bildeten, zwischen Bierdosen und Flaschen und Zigaretten, lagen die Karten.

Emma begrüßte ihre Familie und Freunde mit anhaltendem Kichern und ließ ein paar anzügliche Bemerkungen über das los, was offenbar bisher geschehen war, besonders mit Sally. Sie verlangte, dass wir mitspielten. Ich war viel zu betrunken, um über Konsequenzen nachzudenken.

Fünf Minuten später lachte ich mit ihnen, als Lisa aus Versehen gleich den BH mit auszog, als sie nur das Top ablegen sollte. Zehn Minuten später biss ich mir auf die Lippen, als Luke seine Hose auszog und stolz seine Erektion zeigte. Zwanzig Minuten später saß ich oben ohne da. Dreißig Minuten später krümmte ich mich vor Lachen, als Milly einen Holzlöffel auf den Hintern ihres Mannes klatschte.

Vierzig Minuten später war ich nackt, und eine Stunde später saugte ich unter den anfeuernden Rufen der anderen an Johns Schaft.

Zwei Stunden später lehnte ich schwankend über einem Torpfosten und wünschte mir, dass die Welt einen Moment stillstehen würde.

Drei Stunden später schlief ich neben Toby im Bett.

Ich war nicht stolz auf das, was ich getan hatte. Ich empfand ein Schuldgefühl, aber besonders groß war es nicht. Ich hatte es getan, hatte John, der mir praktisch fremd war, einen Blowjob gegeben. Verdammt unanständig, und das auch noch vor allen Leuten. Aber das war nicht das eigentliche Problem.

Das Problem bestand darin, dass ich mich zwar vom Verstand her schämte, aber dass ich Toby gegenüber keine Gewissensbisse empfand. Das konnte nur bedeuten, dass ich keine Loyalität zu ihm verspürte; ich sah keinen Grund, ihm treu zu sein. Als ich meine Karten auf den Boden gelegt hatte, war mir klar, dass ich die Runde verloren hatte. Ich hätte grinsend aussteigen oder eine Strafe akzeptieren können.

Als Emma eine Runde verloren hatte, kurz nachdem Ray trunken umgekippt war, hatte sie auch nackt dagesessen. Aber statt sich mit einem anderen Mann einzulassen, hatte sie es vorgezogen, sich von Milly den nackten Po mit dem Holzlöffel versohlen zu lassen. Dafür hätte ich mich auch entscheiden können. Aber nein, ich hatte mich an den kräftigen Bauernsohn gewandt und ihm einen geblasen, und es hatte mir auch noch mächtig Spaß gemacht.

Es stand fest, dass ich nicht reif für eine Hochzeit war. Vielleicht musste ich erst noch erwachsen werden. Vielleicht würde ich auch nie bereit sein, mich für den einen Mann zu entscheiden, würde nie dieses

Gefühl für Treue empfinden, das Gefühl: Du gehörst zu ihm.

Also schluckte ich den Rest von Stolz hinunter, sagte John, dass wir unseren Spaß gehabt hätten, dass er aber eine solche Behandlung nicht regelmäßig erwarten könnte, und lebte mein Leben.

Die Auswirkungen unseres Weihnachtsmenüs begriff ich erst später. Normalerweise sind die Gesellschaften im Januar weniger gut besucht, und in manchen Jahren waren sie ganz ausgefallen. Aber in diesem Jahr waren sie überbucht, und Toby musste einigen Gästen absagen. Die meisten Leute hatten sich angemeldet, weil Freunde oder Bekannte ihnen vom Weihnachtsmenü vorgeschwärmt hatten.

Plötzlich war ich gefragt, und ich sonnte mich in meinem Erfolg. Die Party verabschiedete sich tief beeindruckt, und die nächste Party, die letzte der Saison, war nicht weniger begeistert. Am letzten Tag der Jagdsaison, dem letzten Tag des Januars, hatten Toby und sein Vater mehrere Jagden und Schießwettbewerbe ins Programm aufgenommen, und die Gäste waren außer sich vor Freude.

Das anschließende Menü war ebenso aufwändig wie das zu Weihnachten, aber diesmal landete ich nicht betrunken auf einer Orgie. Wohl aber war ich erschöpft wie am Heiligabend, und weil die Saison abgeschlossen war, fuhr ich zur Erholung zu meinen Eltern.

Es waren zwei sehr entspannte Wochen, in denen meine Mutter mich verwöhnte. Ich trainierte mir mit regelmäßigem Joggen die Pfunde ab, die ich mir zugelegt hatte, obwohl ich darauf geachtet hatte, was und wie viel ich aß. Nach dem Ende der vierzehn Tage fühlte ich mich gestählt für alles, was auf mich zukommen mochte. Ich kehrte mit dem Vorsatz nach Berkshire zurück, mich bald in den Griff zu bekommen, so oder so.

Ich packte meinen Koffer aus und spazierte hinüber zum Alderhouse. Toby fand ich im Büro. Nach Umarmung und Küssen und dem unvermeidlichen Pograbschen setzte er sich wieder, und ich sah ihm an, dass ihm etwas unter den Nägeln brannte.

»Ich habe großartige Neuigkeiten, Juliet. Du schlägst wie eine Bombe ein, deshalb haben wir beschlossen zu expandieren. Unsere Idee ist, das Speisezimmer in ein richtiges Restaurant zu verwandeln, nicht nur für unsere Gäste, sondern auch für Leute, die nur zum Abendessen zu uns kommen wollen.«

»Wunderbar.«

»Ich bin sicher, es wird ein großer Erfolg werden. Viele unserer Gäste sagen, sie möchten deine Küche auch außerhalb der Gesellschaften bei uns weiter genießen.«

»Ich weiß nicht. Schließlich koche ich gerade mal etwas über einen Monat für euch.«

»Also, wir sind sehr optimistisch. Daddy und ich haben uns schon mit einigen Veranstaltern von Jagden kurz geschlossen, und die einhellige Meinung ist, dass ein gutes Restaurant in unserer Gegend fehlt.«

»Du meinst, es kommen auch Leute von weither, nur weil sie auf Alderhouse zu Abend essen wollen?«

»Ja, da bin ich mir sicher. Von London bis zur Abfahrt dreizehn dauert es nur eine Stunde, und dann sind es noch ein paar Minuten bis zu uns.«

»Ja, hört sich gut an, glaube ich. Und was soll ich dabei tun?«

»He, du führst das Restaurant!«
»Ich führe ...?«
»Ja, warum nicht?«
»Um ehrlich zu sein, Toby, ich habe keine Ahnung, wie das geht. Ich kann kochen, ich kann die Zutaten herbeischaffen, aber du brauchst jemand mit viel mehr Erfahrung, um eine Restaurantküche zu führen.«
»Oh. Bist du sicher? Ich meine, wir haben schon daran gedacht, noch zwei oder drei Leute einzustellen.«
»Das ist das nächste Problem. Wenn du jemanden mit Erfahrung nimmst, wird er nicht unter mir arbeiten wollen. Ich habe doch nur gelernt, ich war nie eine echte Küchenchefin.«
»Aber du bist phantastisch.«
»Danke. Aber trotzdem, Toby, ich versuche, nur realistisch zu sein. Es tut mir Leid.«
»Du brauchst dich nicht zu entschuldigen. Du hast vielleicht Recht. Ich bin voller Euphorie, aber du bleibst mit beiden Füßen auf dem Boden. Wie siehst du denn deine Rolle?«
»Ich besorge die Zutaten, ich kann auch den Küchenplan mit beeinflussen. Und ich kümmere mich um den Wein. Wir sollten eine viel größere Auswahl haben.«
»Ja, das glaube ich auch, aber wir sollten unser Geld nicht in einen riesigen Weinkeller anlegen.«
»Das muss auch nicht sein. Die Weinliste zeigt dem Gast nur eine Fülle von Namen, und die meisten bedeuten ihm nichts. Von den besseren Weinen braucht man nur einen kleinen Vorrat, vielleicht zwei oder drei Flaschen, aber die Preise beeindrucken den einzelnen Gast und überzeugen ihn, dass wir Weinverstand haben. Einige Restaurants in London haben sich zusammengeschlossen und kaufen sogar nur eine Flasche von

einer teuren Rarität. Sie wird an dem Platz verwahrt, der am günstigsten liegt, und wenn eine solche Flasche in einem der Restaurants bestellt wird, bringt ein Bote sie innerhalb von Minuten hin.«

»Sehr raffiniert. Aber was ist, wenn jemand mehr als eine Flasche bestellt?«

»Für dreitausendsechshundert Pfund? Das war der Preis, zu dem wir im *Seasons* den achtzehnachtundvierziger Latour angeboten haben. Die Flasche lagerte im Keller eines Restaurants in der Park Lane.«

»Nun, das liegt ein wenig über unserem Limit«, sagte Toby lächelnd. »Aber stelle mal eine Liste mit guten Weinen zusammen, Juliet.« Er klopfte mir auf die Schulter. »Ich rechne mal nach, ob wir unser Budget für den Weinkeller erhöhen können.«

»Ja, großartig. Ich erkundige mich mal nach den Auktionen. Da gibt es oft Angebote von Kisten aus verschiedenen Lagen oder Jahrgängen, die viel preiswerter sind, als wenn man die Flasche in kleinen Mengen kauft. Und ab und zu muss ein kleiner Winzer in die Insolvenz gehen, dann findet sich manch ein Schnäppchen.«

Ich konnte ein paar tausend Pfund für unseren Weinkeller ausgeben, diese Aufgabe verdrängte meine eigenen Probleme in den Hintergrund. Toby hatte auch eine Menge zu tun, und wenn wir uns mal trafen, dann war der Sex hastig, kurz und ungestüm. Ich ließ es geschehen, denn ich wollte keine Katastrophe auslösen, wo doch alles so reibungslos lief.

Ich fuhr nach London, Bristol, Winchester und Norwich und kaufte, als ob ich besessen wäre, aber ich hatte wirklich gute Preise herausgeholt und die Zusage, dass wir in Zukunft regelmäßig beliefert würden.

Als der Weinkeller bestückt war – ich hatte das Budget nur leicht überschritten –, fiel ich plötzlich in ein tiefes Loch. Ich hatte nichts mehr zu tun. Keine Gäste, Alderhouse im Umbau – he, ich hatte wieder Zeit für mich selbst, aber ich konnte nicht viel mit mir anfangen. Toby überwachte den Umbau und hatte tagsüber keine Zeit, aber abends gab er sein Bestes, die verlorene Zeit nachzuholen.

Ich hielt mich zurück und glaubte, zufrieden mit meinem Leben zu sein. Trotz einiger Winke und Andeutungen von Donald konnte sich Toby nicht aufraffen, offiziell um meine Hand anzuhalten.

Die meiste Zeit verbrachte ich mit Emma, oder ich wanderte durch den Wald und widerstand der Verlockung, etwas zu stehlen oder Marshs Fallen zu torpedieren. Viel zu stehlen gab es im Winter sowieso nicht. Einige Male besuchte ich den Schrein und wartete in der Nähe, weil ich hoffte, Ian Marsh zu erwischen, wie er ein Opfer brachte. Aber dazu kam es nie, aber ich fand heraus, dass er entweder am frühen Morgen oder spät am Abend den Schrein besuchte. Ich war versucht, ihm eine Nachricht oder sogar ein eigenes Opfer dazulassen, aber ich hatte keine Ahnung, wie er darauf reagieren würde.

Also versuchte ich herauszufinden, ob seine Besuche einem bestimmten Muster unterlagen, und schließlich meinte ich, dass er sich an die Mondphasen hielt. An einem kalten Februarmorgen verließ ich Tobys warmes Bett vor Sonnenaufgang. Der Vollmond beschien den Weg in den Wald. Der Schrein stand im fahlen Licht, aber Ian Marsh war nirgendwo zu sehen.

Enttäuscht ging ich zurück ins Cottage, braute einen starken Kaffee und wartete auf Emma.

Gegen zehn Uhr kam Toby. Er strahlte übers ganze Gesicht. »Du wirst nicht glauben, Juliet, wen wir als Chef des Restaurants engagieren konnten!«
»Keine Ahnung. Ralph Brookman?«
»Nein. Gabriel Blane.«

Neuntes Kapitel

Schlimmer hätte es nicht kommen können. Er wäre nicht schlimmer gewesen, wenn Toby einen verrückten Veganer engagiert hätte. Dann hätte ich wenigstens die Gäste auf meiner Seite gehabt. Jetzt würden sie glauben, ich wäre eine naive Verehrerin des großen Gabriel Blane.

Ich hätte Toby sagen können, wie Blane wirklich war, und wahrscheinlich hätte er mir geglaubt. Aber das wollte ich nicht; ich wollte mich nicht als Opfer darstellen. Aber zurückziehen konnte ich mich auch nicht, allein schon aus finanziellen Gründen nicht. Außerdem hatte ich Alderhouse meinen Stempel aufgedrückt. Ich würde mich mit Blane arrangieren müssen.

Das erwies sich als unmöglich.

Blane nahm seinen Job sehr ernst, wie ich feststellte, als ich erfuhr, dass er eine Wohnung bezogen hatte, die den Paxham-Jennings' in Ilsenden gehörte und kaum etwas kostete. Ich war entschlossen, unsere Beziehung streng professionell zu halten. Ich musste Toby sagen, was zwischen uns gelaufen war, aber natürlich wollte ich nicht sagen, warum Blane mich entlassen hatte.

Ich musste an einem Treffen auf Alderhouse teilnehmen, um den Eröffnungsabend zu besprechen. Der Weg dahin fiel mir schwer; irgendwie war alles nicht mehr so schön und unbeschwert wie vorher.

Von der Rückseite näherte ich mich dem Haus, und da stand er neben Toby im neuen Restauranttrakt und blickte über den Besitz, als gehörte er ihm. Er sah so wieselig aus wie immer, vielleicht noch ein bisschen schlimmer, denn er hatte sich einen Ziegenbart wachsen lassen.

Ich vermied es, ihn zu begrüßen, und er drehte sich auch nicht zu mir um. Ich plauderte eine Weile mit Tobys Mutter, dann ging ich hinein. Toby sah mich, lächelte, kam auf mich zu und küsste mich. Er führte mich zu seinem Gast.

»Euch brauche ich ja nicht vorzustellen«, sagte er grinsend. »Ich werde euch beide jetzt allein lassen, denn ich stünde euch nur im Weg.«

Jetzt war ich allein mit Blane, der keine Zeit verlor, mir gleich zu sagen, wie der Hase lief.

»Juliet, hallo. He, ich weiß, dass wir in der Vergangenheit unsere Meinungsverschiedenheiten hatten, aber hier müssen wir zusammenarbeiten. Ich bin also bereit, zu vergessen und zu verzeihen.«

Das war so anmaßend, dass ich kein Wort herausbrachte. Er sprach einfach weiter.

»Dies könnte ein Erfolg werden. Ich meine, bei meinem Namen. Wichtig ist, dass der Eröffnungsabend ein Knaller wird. Wir brauchen ein Gericht, über das die Leute noch lange sprechen werden.«

Ich riss mich zusammen. Es war wichtig, sich ganz professionell zu geben. »Ich habe schon mal an Karpfen Chambord gedacht.«

»Karpfen Chambord? Das ist absurd. Das dauert Stunden, sogar Tage, wenn man die Karpfen reinigen muss. Wir sind nicht im mittelalterlichen Frankreich, Juliet.«

»Renaissance.«

»Was?«

»Es ist ein Gericht aus der französischen Renaissancezeit. Das Rezept wurde das erste Mal zu Beginn des sechzehnten Jahrhunderts aufgeschrieben. Ich weiß, dass es eine lange Vorbereitungszeit erfordert, aber wir sollten es tun. Ich habe es schon zweimal angeboten, und beide Male war es ein großer Erfolg.«

»Fange gar nicht erst an zu sagen, was ich tun soll. Du bist der Zulieferer, ich bin der Küchenchef. Ich entscheide, was auf den Tisch kommt. Du kaufst die Zutaten. Und Gott helfe dir, wenn sie meinem Standard nicht entsprechen.«

»Wir sollten es gemeinsam festlegen, und Karpfen Chambord wäre das perfekte Gericht für die Eröffnung.«

»Nein. Ich entscheide. Nur unter dieser Prämisse arbeite ich.«

»Mag sein, dass du so im *Seasons* gearbeitet hast, Gabriel, aber hier spreche ich mit. Ich wähle die Zutaten aus, und du beginnst mit den Vorbereitungen.«

»Du wählst du Zutaten aus? Das hört sich lustig an. Du hast doch keine Ahnung, wo du damit anfangen sollst. Klar, du kannst gute Ware erkennen, schließlich hast du das bei mir gelernt, aber das allein genügt nicht. Du musst wissen, wie viel man braucht und welche Zusammenstellung es verlangt, damit so gut wie keine Reste bleiben.«

»Aber genau so habe ich es gehalten.«

»Eben nicht. Ich habe mich in den Büchern schlau gemacht. Der Überschuss an Zutaten ist viel zu hoch, das kann ich nicht akzeptieren. Du benutzt zu viele verschiedene Zulieferer, und du servierst Gerichte, von denen noch niemand gehört hat – schlimmer noch – die du dir gerade mal hast einfallen lassen.«

»Aber das machst du doch die ganze Zeit!«

»Ich bin Gabriel Blane. Du bist ein Niemand.«

Ich sog tief die Luft ein und musste an mich halten, um nicht die Geduld zu verlieren. Er redete weiter, offenbar gefiel ihm der Klang seiner Stimme.

»Was wir brauchen, ist ein Aufsehen erregendes Gericht. Es muss vom Anblick auf dem Teller und natürlich vom Geschmack begeistern.«

Ich öffnete meinen Mund, um das mittelalterliche Pfauen-Rezept vorzuschlagen, aber ich biss mir schnell auf die Zunge. Er würde sich von mir nichts sagen lassen. Er strich sich durch den Bart und starrte hinaus auf den See.

»Mein Wildgericht, als Keule serviert, direkt vom Knochen geschnitten. Ja, perfekt.«

»Welche Zubereitung?«

»Wildbret Magdalen, natürlich. Seit Signor di Gavi es an dem Abend, an dem du dich so daneben benommen hast, gekostet hat, war es im *Seasons* sehr gefragt.«

Ich konnte ihn nur anstarren, verblüfft darüber, dass er so ungeniert lügen konnte.

»Ich habe natürlich einige kleine Verbesserungen vornehmen müssen, die Marinade darf nicht so lange ziehen, und statt des viel zu feinen Burgunders habe ich einen robusten spanischen Wein genommen, damit …«

Ich wandte ihm den Rücken zu, denn wenn ich das nicht tat, hätte ich ihm ins Gesicht springen müssen. Er war so schlecht wie immer, vielleicht noch etwas schlimmer, denn schließlich war sein Ego nach der Pleite angeschlagen. Und ich musste mich mit ihm arrangieren.

Okay, arrangieren ging in Ordnung. Aber niemand

konnte verlangen, dass ich vor ihm niederkniete und in Ehrfurcht erstarrte. Er war nicht mehr ganz oben auf der Leiter, und er war nicht der Besitzer dieses Restaurants.

Toby war mit seinem Vater im Büro, und beide starrten auf den Bildschirm des Computers. Als ich eintrat, schauten sie auf.

»Ist alles okay, Juliet? Du siehst verstört aus.«

»Ja, bin ich auch. Ich weiß, dass du viel zu tun hast, und ich will auch keine Schwierigkeiten machen, aber Blane scheint zu glauben, dass ich nichts anderes als seine Assistentin bin, und wir hatten vereinbart, dass ich …«

»Ah.«

»Was meinst du mit ›ah‹?«

»Nun, Gabriel hat auf ein oder zwei Änderungen des Vertrags bestanden, den du gesehen hast. Keine umwerfenden Änderungen, aber er hat darauf bestanden, dass er das letzte Wort bei der Zusammenstellung des Menüs hat.«

»Und du hast zugestimmt?«

»Sei nicht wütend, Juliet. Ich bin sicher, dass er deine Meinung berücksichtigt.«

»Nein, das wird er nicht. Er hört sich nicht einmal meine Vorschläge an.«

Donald schaltete sich ein und sagte sehr fest und ernst: »Sei fair, Juliet. Wie du selbst gesagt hast, fehlt dir die Erfahrung, ein Restaurant in dieser Größe zu führen, und Gabriel …«

»… ist ein Genie, ich weiß, ich weiß. Entschuldige, aber ich dachte, ich hätte wenigstens einen Teil des Menüs zusammenstellen können.«

»Wir haben darüber gesprochen, aber ich fürchte, er

hat das abgelehnt und darauf beharrt, dass er das alleinige Sagen hat. Davon hat er den Vertrag abhängig gemacht. Das heißt, wir hätten ihn sonst nicht in unserem Restaurant gehabt.«

Toby zeigte ein trauriges Lächeln und hob die Schultern.

»Es ist wirklich die vernünftigste Lösung, denn wir haben ihn zu einem guten Preis einkaufen können, jedenfalls dafür, dass er ein Prominentenkoch ist.«

Gabriel Blane verdiente das Vierfache von mir. Am liebsten hätte ich mich übergeben.

Ich fühlte mich verraten. Vielleicht war es meine Schuld, weil ich Toby nicht sofort reinen Wein über Blane eingeschenkt hatte, aber das war kein Grund, mir den gemeinen kleinen Kerl vor die Nase zu setzen. Toby hatte keine Anstalten getroffen, sich für mich einzusetzen. Ich war für die niederen Arbeiten im Restaurant da, mal von der Auswahl der Weine abgesehen, und an der konnte Blane auch nur deshalb nichts mehr ändern, weil die Weinkarte schon gedruckt war.

Die letzte Erniedrigung bestand darin, dass ich aus dem Restaurant verbannt wurde. Ich erhielt die strikte Anordnung, mich da nicht mehr sehen zu lassen. Das traf auch auf Emma zu sowie auf die beiden Assistenten und den Lehrling, den er eingestellt hatte.

Nur Blane und die beiden Kellner durften das Restaurant betreten, und sie waren angewiesen worden, sich still und voller Respekt dem Chef gegenüber zu verhalten. Es war wieder genau wie im *Seasons*, er stellte sich in den Mittelpunkt, und alle anderen hatten sich im Hintergrund zu halten.

Was ich ihm nicht absprechen konnte, war seine Fähigkeit zu organisieren. Jeder wusste, was er zu tun hatte, deshalb konnten die einzelnen Gerichte in kürzester Zeit serviert werden.

Zum Eröffnungsabend waren vierzig sorgfältig ausgewählte Gäste eingeladen worden, oder, um es genauer zu formulieren: Gabriel Blane hatte sie ausgewählt, darunter auch einige Kritiker und einige Halbpromis, die zu seinen Spezis gehörten. Er hatte auch die Sitzordnung festgelegt und dafür gesorgt, dass am Tisch jedes Kritikers mindestens einer seiner Fans (ich nenne sie lieber Speichellecker) saß sowie mindestens eine hübsche junge Frau. Blane wollte die Garantie erzwingen, dass es ein erfolgreicher Abend wurde.

Es unterschied sich um einiges von dem, was ich immer für seinen Stil gehalten hatte. Schon nachdem er mir die Liste der Zutaten gegeben hatte, die ich für ihn einkaufen sollte, schien es, dass er aufgehört hatte, sich ambitioniert für die traditionelle englische Küche zu engagieren; er ging jetzt eher in die kontinentale Richtung.

Der Hauptgang war aber alles, was man von ihm erwarten konnte, auch wenn er mir das Rezept gestohlen hatte. Eine ganze Hirschkeule war drei Tage lang mariniert worden. Mehrere Spieß wurden ins Fleisch getrieben, damit eine Mischung aus Kräutern und Wein eindringen konnte. Ich war ausgesprochen stolz auf mein Rezept, auch wenn Blane nie zugeben würde, dass ich diese Idee gehabt hatte.

Zur Wahl stand auch noch sein klassisches Moorhuhn, obwohl die Saison eigentlich schon zu Ende war, aber Blane hatte sich mit tiefgefrorenen Vögeln beholfen, vielleicht weil er glaubte, man erwartete ein Moorhuhn an seinem ersten Abend. Eine andere Alternative des Hauptgangs war ein Steinbutt in einer komplizierten Sauce mit Kapern, Oliven, Tomaten, Fenchel und noch einigem mehr; für meine Begriffe ein viel zu starker Geschmack für den zarten Fisch. Schließlich bot er noch Tournedos an, da gab es nichts zu meckern, schließlich war es ein klassisch schlichtes Pfannengericht.

Die Vorspeisen waren alle recht einfach im Vergleich zu den extravaganten Kreationen, die wir im *Seasons* angeboten hatten. Langusten in einer pikanten Sauce, Wachtelbrüstchen in Aspik, eine Auswahl kleiner Pasteten von verschiedenem Wild (darunter auch meine eigenen Pasteten, aber das wusste er nicht) und Schnecken.

Es war, als ich bei der Zubereitung der Schnecken war, als er mit irritiertem Ausdruck zu uns kam und mit einem Stück Papier wedelte. Er sprach mich scharf an, ohne sich die Mühe zu geben, meinen Namen zu nennen.

»Lance Bagnall und Amy-Jane Bacau haben ihre Bestellung geändert. Sie wollen Schnecken.«

»Dumm gelaufen, wir haben nur vierundzwanzig. Sag ihnen, sie sollen was anderes bestellen.«

»Unmöglich. Du weißt doch, wer sie sind, oder?«

»Ja, klar. Kritiker.«

»Kritiker? Himmel, Juliet, du hast wirklich keine Ahnung! Einen Verriss von ihnen, und wir können dichtmachen, bevor es überhaupt begonnen hat.«

»Das glaube ich nicht. Ich glaube an die Mund-zu-Mund-Propaganda und ...«

»Oh, warum hältst du nicht die Klappe, du kleine Besserwisserin. Du weißt nichts, also halte dich an deine Arbeit.«

»Das geht nicht, es sei denn, wir sagen den anderen, die Schnecken bestellt haben, sie sollen sich was anderes ...«

»Verdammt! Es gibt doch eine ganz einfache Lösung, selbst wenn man so engstirnig ist wie du. Sechs Leute wollen Schnecken, uns fehlen also zwölf. Nun beweg dich schon und hole noch zwölf Schnecken.«

»Woher denn?«

»Schnecken, Juliet! Sie leben im Garten, unter Blumenkübeln und Brettern und so.«

»Die gemeine Gartenschnecke, ja. Aber keine römischen Schnecken. Sie leben nicht einmal in diesem Land.«

»Gott, gib mir Kraft! Sie schmecken genauso, Juliet! Und du hast doch römische Schneckenhäuser vorrätig, oder?«

»Ja, aber ...«

»Gut. Schieß los.«

»Aber ...«

»Schieß los!«

Ich ging zähneknirschend und am ganzen Körper zitternd, aber ich ging. Draußen war es nass und kalt und schneckenfrei. Nach zehn Minuten erfolgloser Suche unter Blumenkübeln kam mir ein Geistesblitz. Ich ging ins Treibhaus, und dort fand ich, was ich brauchte – dicke schwarze und braune Gartenschnecken, die den Winter unter umgekippten Blumentöpfen verschliefen. Ich suchte die zwölf dicksten aus und brachte sie Blane, der mich mit Schaum vorm Mund erwartete.

»Himmel, Juliet! Wo bist du gewesen? In Frankreich?«

»Draußen, und es war nass und ...«

Die Arbeit hast du wohl nicht erfunden«, fauchte er.

»Such die Schneckenhäuser und stell mir die Teller hin, während ich die Dinger koche.«

Es wurde langsam hektisch in der Küche, aber ich bot ihm meine Hilfe nicht an, während er vor der Pfanne stand, immer ein Auge auf seiner Uhr. Es schien ihm egal zu sein, dass die Schnecken gerade mal halb so groß waren wie normal, und ich sah mit ungläubigen Augen zu, wie er sie in die Häuschen zwängte und Knoblauchbutter obendrauf schmierte.

Sie sahen gut aus, das musste ich zugeben, und ich hätte gern eine probiert, aber wir hatten keine Zeit, also zog ich mich schnell zurück, um mich umzuziehen. In Tobys Zimmer lagen Jeans und ein Pulli von mir, aber da ich ohnehin aus dem Restaurant verbannt worden war, spielte meine Kleidung keine große Rolle.

Als ich wieder unten war, stellte ich mich neben Emma ans Fenster, von dem aus wir ins Restaurant blicken konnten. Alles sah nach einem großen Erfolg aus; die Gäste in Smoking und Abendkleid, und alle strahlten.

Der erste Gang war abgeschlossen, und Blane stürmte in die Küche und zerlegte die Hirschkeule mit einem Ausdruck selbstsicherer Kontrolle, vom Scheitel bis zur Sohle der überlegene Patriarch, der inmitten seines Clans Hof hält.

Schon für Toby musste mich der Erfolg freuen, aber noch nie in meinem Leben hatte ich mich so hintergangen gefühlt. Blane hatte Dinge geschafft, die mir nicht gelungen wären, er hatte einflussreiche Gourmetkritiker und Prominenz auf Alderhouse gebracht, und niemand hätte die Sitzordnung so elegant gelöst wie er. Trotzdem – ohne mich hätte er nie die Chance erhalten, hier den großen Chef zu spielen.

Natürlich waren die Kritiken gut. In den Hochglanzmagazinen sprach man vom Juwel auf dem Lande, während es in einem Londoner Führer euphorisch hieß: »Blane ist wieder da!« Natürlich war auch, dass die Paxham-Jennings' mit keinem Wort erwähnt wurden, und ich erst recht nicht. Lance Bagnall hatte besonders von den Schnecken geschwärmt. Er wusste, dass sie aus einem Dorf namens St. Romain stammten, einem der schönsten Flecken der Bourgogne, wo sie mit Weinblättern gefüttert und im Sud des Weins zubereitet würden.

Entweder hatte er sich die Geschichte aus den Fingern gesogen, oder Gabriel hatte ihm einen gewaltigen Bären aufgebunden. Amy-Jane Bacau hatte die Schnecken nicht erwähnt, erging sich aber in einer salbungsvollen Schilderung des Wildbrets, das ein »klassisches Beispiel dafür ist, wie brillant Gabriel den Konventionen trotzt«.

Ja, so war das. Ich war zwar nicht draußen, aber ich hätte genauso gut draußen sein können. Innerhalb einer Woche war ich zum Dienstmädchen degradiert worden, und Blane blockte alle meine Versuche, etwas Neues zu versuchen, ab. Toby war keine Hilfe, er war begeistert von Blanes Charme und sonnte sich im Erfolg des Restaurants. Ich wollte ihm immer noch nicht sagen, was für ein schmieriger Kerl Blane in Wirklichkeit war, und mir wurde bald bewusst, dass Toby meine Abneigung für kindische Eifersüchtelei hielt.

Ich blieb, schluckte ein ums andere Mal meinen Stolz und ließ mich von ihm erniedrigen. Ich hatte meine Steuerschulden bezahlt, was sich auf meinem Kontoauszug nicht gut ausnahm, deshalb konnte ich es mir gar nicht erlauben, die Brocken hinzuwerfen. Sonst hätte ich das Cottage verkaufen oder in irgendeiner Bude Hamburger wenden müssen.

Er hatte alles verändert. Statt auf den einheimischen Märkten und Farmen zu kaufen, brachte er wieder seine alten Lieferanten ins Spiel. Damit blieb für mich nur noch die Bestellung übrig, die Qualitätskontrolle und die Überprüfung der Lieferung. Aber auch dabei überwachte er mich streng, und wenn ich irgendeine Entscheidung traf, widerrief er sie umgehend.

Das führte dazu, dass mir mehr Zeit blieb, in der ich nichts zu tun hatte, aber er sorgte dafür, dass es nicht so blieb. Er schob mir die schlimmsten Arbeiten zu. Entweder wollte er mich dazu zwingen, die Flinte ins Korn zu werfen, oder er hatte einfach seinen Spaß daran, mich zu demütigen. Er schaffte es sogar, dass die anderen Helfer mich für eine arrogante Ziege halten mussten. Ich half also beim Abwasch, fegte den Boden und brachte den Abfall hinaus.

Wenn Emma nicht gewesen wäre, hätte ich das Handtuch geworfen; sie hielt mich bei Laune, obwohl sie selbst auch unter seinen Unverschämtheiten zu leiden hatte.

Jeden Morgen ging ich mit ihr vom Cottage zum Alderhouse, ein kurzer Spaziergang, der sich zu unseren letzten Minuten in Freiheit entwickelte, aber dann eröffnete uns Blane, dass er einen preiswerten Mittagstisch einführen wollte. Mir hatte niemand etwas davon gesagt, auch Toby nicht. Ich war wütend, aber Emma nahm es philosophisch.

»Männer«, sagte sie.

»Okay, Blane ist so, neben ihm nimmt sich Napoleon wie ein Waisenknabe aus. Aber Toby? Wenn wir zusammen sind, ist er nicht so.«

»Nein, aber dann will er ja auch ans Hauptgericht.«

»Ich würde gern glauben, dass uns ein bisschen mehr als das verbindet.«

»Kann sein, aber letzten Endes sind sie immer nur hinter dem her, was sie wollen. Und dagegen ist ja auch nichts einzuwenden, wenn es auch das ist, was du willst.«

»Nun, ich weiß, dass ich nicht vier zusätzliche Stunden am Tag arbeiten will.«

»Nun ja, so schlimm ist das auch nicht.«

»Ja, aber ich will es nicht.«

»Wie viele Leute kriegen schon immer das, was sie haben wollen?«

»Nicht viele, schätze ich. Aber es gibt keinen Grund, warum ich es einfach hinnehmen soll.«

Ich wusste, wohin die Unterhaltung führen würde, deshalb wechselte ich das Thema. Sie sah nie, dass Leben mehr sein konnte als Arbeit und Kinder aufziehen, und ich begriff nicht, dass sie sich mit dem zufrieden gab, was sie hatte.

In der Küche herrschte schon reger Betrieb, als wir eintrafen. Wir begannen mit der Inventur im Vorratsraum.

»Was macht ihr zwei?«

»Inventur.«

»Nicht nötig. Es gibt wichtigere Dinge zu tun, und in Zukunft will ich euch pünktlich hier haben.«

»Wir sind pünktlich.«

»Nein, seid ihr nicht. Punkt neun Uhr fangen wir an. Von morgen an.«

»Aber so früh kommen noch keine Lieferungen.«

»Dann finde etwas anderes zu tun. Du kannst die Herrentoilette säubern und ...«

»Gabriel, ich bin für den Einkauf der Waren zuständig und nicht für die Sauberkeit der Toiletten. Ich habe dir gesagt ...«

»Verdammt, Juliet, was hältst du eigentlich von Teamwork? Jeder hier hat zu tun, also halt dich ran und nimm deine dicke Freundin gleich mit.«

»Nein. Ich ...«

Die Tür zur Küche stand offen. Einige der anderen Helfer waren zu sehen, alle mit irgendwas beschäftigt. Aber sie hörten uns natürlich zu. Die arrogante Ziege weigerte sich mal wieder, eine unangenehme Arbeit zu übernehmen. Sie würden nichts sagen, aber sie würden es alle denken. Ich wusste, was jetzt kam. Das unvermeidliche Wort.

»Bitte.«

Ich hatte keine andere Wahl. Wenn ich nicht wollte, dass alle anderen einen Hass auf mich entwickelten, dann musste ich mich fügen. Ich legte mein Klemmbrett hin.

»Okay. Dieses eine Mal, aber wir halten fest, dass dies nicht zu meinem Job gehört.«

»Gut. Danke.«

Ich hörte keine Dankbarkeit in seiner Stimme, sondern blanken Sarkasmus und eine boshafte Zufriedenheit über einen weiteren kleinen Sieg. Ich ging zur Herrentoilette, den Hals voller Hass. Die Arbeit wäre nicht einmal dringend gewesen, aber ich wusste, dass es ihm darauf gar nicht ankam. Wichtig war nur, dass er mich dazu gezwungen hatte.

Als ich fertig war, hatte Emma noch mit der Inventur zu tun. Blane erklärte dem Lehrling etwas, wie üblich in seiner ungeduldigen gehetzten Stimme, aber er brach ab, als er mich sah, und hielt mich auf, bevor ich in die Vorratskammer zu Emma gehen konnte.

»Nein, nicht dahin. Und dich brauche ich auch, Dicke.«

Emma kam aus der Vorratskammer und hielt das Klemmbrett in der Hand. Sie sah wie immer ganz entspannt aus, nur in ihren Augen funkelte es ein wenig.

»Miriam ist krank, deshalb kellnerst du heute, Juliet, und fang erst gar nicht mit dem Meckern an.«

»Aber ich habe keine Tracht.«

»Du kannst Miriams anziehen. Sie wird dir passen, im Gegensatz zu der Dicken da.«

»Aber …«

Emma reichte mir das Klemmbrett und langte an den Hinterkopf, um ihre Haare zu lösen. »Vergiss es. Fick dich selbst, Blane.«

»Was? Weißt du, mit wem du redest?«

Er war knallrot geworden, und als er sich vor ihr aufbaute, war sein Gesicht eine Maske der Wut.

Emma beachtete ihn gar nicht, fuhr mit einer Hand durch ihre Locken und wandte sich an mich. »Tut mir Leid, Juliet, aber ich habe genug von diesem Arschloch. Wir sehen uns später, ja?«

»Ja, klar.«

Mehr brachte ich nicht über die Lippen, so sehr verwirrte mich ihr spektakulärer Abgang.

Blane dagegen fand seine Sprache wieder. »Wohin läufst du denn? Hier gibt's Arbeit zu tun!«

»Dann tu sie selbst, Arschloch.«

Sie schritt durch die Tür und schlug sie hinter sich zu.

Blane stand da und schüttelte den Kopf. »Himmel! Frauen!«

»Vielleicht solltest du dich bei ihr entschuldigen.«

»Entschuldigen? Wofür denn?«

»Vergiss es. Also gut, ich werde für Miriam einspringen, aber dann müssen wir uns über meine Arbeitsplatzbeschreibung unterhalten.«

»Nein, Juliet, das werden wir nicht. Du musst Loyalität und Respekt lernen, das ist alles. Geh jetzt.«

Er stürmte davon, blaffte den unglücklichen Lehrling an, der mit einem Bund Frühlingszwiebeln irgendeine Todsünde begangen hatte. Ich hielt mich zurück, schüttelte den Kopf und kam mir plötzlich sehr, sehr allein vor. Emma war nicht mehr da, und sie war der einzige Mensch, der in der Küche zu mir gestanden hatte. Durch sie war alles ein bisschen erträglicher gewesen.

Der Mittagstisch war eine einzige Qual für mich. Sechs Tische waren besetzt, und ich hatte keine rechte Vorstellung von dem, was ich tun musste. Ich hatte noch nie in einem Restaurant bedient. Alle Gäste schienen alles zur gleichen Zeit haben zu wollen, und wenn es nicht sofort vor ihnen stand, machten sie mich dafür verantwortlich.

Ein Mann, Geschäftsmann mit einem wiehernden Lachen und schmierigen schwarzen Haaren, kniff mir sogar in den Po. Ich musste meine ganze Willenskraft aufbieten, um ihm nicht ins Gesicht zu schlagen.

Danach hatte ich genug. Ich wollte mich nicht länger als Blanes Dienstmagd verschleißen lassen. Er erwartete, dass ich am Nachmittag schrubbte und spülte und bei den Vorbereitungen zum Abendessen half. Ohne mich. Ich zog mich rasch um und entwischte durch die Hintertür, und dort stieß ich mit Toby zusammen.

»Oh, Toby, entschuldige.«

»Mhm, das hat sich gut angefühlt. »Arbeitest du?«

»Nein, ich habe dich gesucht.«

»Gut. Hast du Lust auf einen Spaziergang?«

»Ja, sehr. Nachher kommen zwar ein paar Lieferungen, aber Blane kann sich darum kümmern. Er überprüft die Ware sowieso.«

»Ja, er ist sehr gründlich, unser Gabriel.«

»Ja, kann sein. Was hast du auf dem Herzen?«

»Ach, eigentlich nichts. Ich finde nur, wir haben uns lange nicht mehr gesehen.«

Ihn trieb irgendwas um, das sah ich ihm an. Vielleicht was Wichtiges, vielleicht ging es auch nur um Sex. Ich war nicht wirklich in Stimmung, aber lange sträuben würde ich mich auch nicht.

Am Tor wandten wir uns nach rechts und gingen den Weg hinauf Richtung Autobahn. Als wir außer Hörweite des Hauses waren, sagte Toby: »Glaubst du, dass wir mit dem Mittagstisch Erfolg haben werden?«

»Ja, wenn es so bleibt wie heute, dann ist es ein Erfolg. Aber jetzt haben wir ein Problem, denn Gabriel hat Emma beleidigt, und sie ist gegangen.«

»Nun, ich halte ihn für jemanden, der nicht lange fackelt, wenn ihm jemand dumm kommt.«

»Das weiß ich nicht. Ich weiß nur, dass er sie auf eine gemeine Tour beleidigt hat.«

»Nun, du weißt, wie die Chefs sind. Temperamentvolle Künstler eben. Und Emma hat sich in letzter Zeit etwas hängen lassen, oder? Aber ich will jetzt nicht übers Geschäft sprechen, wirklich nicht.«

Er hatte damit angefangen, nicht ich, aber ich sagte nichts. Er legte einen Arm um mich, und ich schmiegte mich gegen seine Seite und genoss das Gefühl von Wärme und Geborgenheit. Ja, es war noch da, aber längst nicht mehr so stark wie vor Blanes Ankunft. Ich kuschelte mich fester an ihn. Ich wollte nicht zulassen, dass Blane meine Beziehung zerstörte. Und plötzlich war ich in Stimmung für Sex, nicht eines Höhepunkts wegen, sondern wegen des Gefühls der Sicherheit.

»Sind wir zufällig auf dem Weg zu meinem Cottage?«

»Ich dachte eher an den Wald.«

»Ist es dafür nicht ein bisschen zu kalt?«

Er gluckste und kniff meinen Po durch den Mantel. Ich schaute zu ihm hoch und küsste ihn, während meine Hand zu seinem Schoß glitt. Er fühlte sich heiß und steif an. Unsere Lippen trafen sich, und ich strich mit der flachen Hand über seinen Penis, der sich immer kräftiger aufrichtete, während er meinen Po knetete. Voller Übermut griff ich an seinen Reißverschluss und zog ihn langsam nach unten. Toby löste sich von mir.

»Du traust dich nicht.«

»Hier nicht, nein, obwohl es sehr verführerisch wäre. Wenn ich nicht damit rechnen müsste, dass deine Eltern jetzt gerade zu ihrem Spaziergang unterwegs sind, würde ich es tun.«

»Das glaube ich nicht, das traue ich nicht einmal dir zu.«

Ich schlüpfte mit der Hand in den Hosenstall und drückte seinen Schwanz. Er fühlte sich hart und steif in meiner Hand an, und die Verlockung, ihn ins Freie zu ziehen und in den Mund zu nehmen, war sehr stark.

Ich stellte mir vor, wie er schnell mit mir zum Cottage gehen würde, und unterwegs würde er mich wegen meiner schmutzigen Phantasie necken. Wir würden es nackt auf meinem Bett treiben, und ich könnte Arbeit und Blane vergessen, während wir uns gegenseitig Lust bescherten, und danach würde er mich in den Armen halten, er würde mich trösten und meine Augen trocknen, und vielleicht könnte ich ihn sogar überreden, etwas gegen Blane zu unternehmen und ...

Es war nicht richtig, unsere Beziehung einzusetzen, um ihn zu manipulieren. Wenn ich damit begann, könnten wir nie ein echtes Liebespaar sein, dann nutzte ich ihn aus, und er würde versuchen, mich auszunutzen. Ich zog die Hand aus seinem Hosenschlitz, und er zog rasch den Reißverschluss hoch.

Beinahe wären wir doch noch erwischt worden, denn in diesem Moment schob sich die blaue Nase von Ian Marshs Landrover um die Biegung. Ich musste kichern, und als Ian Marsh anhielt, fragte ich mich, ob er vielleicht etwas gesehen hatte.

Der Wildhüter hielt ein paar Fallen in der Hand. Toby und ich gingen auf ihn zu.

»Was ist los, Ian?«, fragte Toby.

»Ich stelle ein paar zusätzliche Fallen auf, deshalb solltet ihr auf den Weg achten, wenn ihr in den Wald geht. Das gilt auch für Sie, Mädchen.«

»Wir werden aufpassen. Hast du im Gehege nachgesehen? Ist da alles in Ordnung?«

»Ja, ist es. Einen Fuchs habe ich gefangen, sonst war alles still. Ich schätze, den Wilderern ist es zu kalt. Oder ich habe sie abgeschreckt.«

»Klingt alles gut. Abschreckung ist gut. Wer wildern will, soll sich ein anderes Revier suchen.«

»Meine Rede. Könnt ihr auf Alderhouse Kaninchen gebrauchen?«

Diese Frage hatte er mir gestellt, und wie immer, wenn ich seine Stimme hörte, wurden meine Knie wie Pudding. Als ich antwortete, hörte sich meine Stimme unnatürlich hoch an.

»Nein, danke. Ich glaube, Mr. Blane hat es nicht so sehr mit Kaninchen.«

»Er hat es nicht mit Kaninchen? Dann ist er ein Idiot.«

Ich musste lächeln und wünschte, Blane wäre dabei gewesen und hätte die Verachtung in Marshs Stimme gehört. Ian würde sich von Blane nicht herumkommandieren lassen, das wusste ich genau.

Er drehte sich ohne weiteres Wort um und ging mit seinen Fallen in den Wald. Toby und ich folgten dem alten Treck noch eine Weile, dann hielt er an der Stelle inne, wo es die Spur in den Wald gab.

»Sollen wir?«

»Wenn du willst.«

Ich bedachte ihn mit meinem schelmischsten Lächeln und ignorierte meine Gedanken von eben. Ich war scharf geworden, und mir war auch sehr bewusst, wer das ausgelöst hatte – Ian Marsh. Es bereitete mir Lust, wenn ich mir vorstellte, es mit Toby im Wald zu treiben. Im Wald war es immer schon was Besonderes gewesen, da konnte ich die bittere Kälte und den nassen Boden leicht vergessen.

Toby zwängte sich durchs Unterholz, und ich folgte ihm. Ich dachte, er würde anhalten, sobald wir den alten Weg nicht mehr sehen konnten, aber er ging weiter, bis uns die laubfreien Bäume genug Sichtschutz gewährten. Dann drehte er sich um und sah mich mit seinem jungenhaften Lächeln an, das auch immer eine gewisse Verlegenheit enthielt und das mir so gut gefiel.

»Ich will dir was zeigen.«

»Das habe ich mir denken können.«

Ich stand dicht vor ihm, und wieder griff ich mit einer Hand an seinen Schoß und drückte leicht gegen die Schwellung. Er war erst halb steif, aber diesmal zögerte ich nicht, sondern ließ mich vor ihm auf die Knie nieder. Ich hatte den Mund schon geöffnet, als ich noch mit seinem Reißverschluss fummelte.

»Nein, das meine ich nicht.«

»Nein?«

»Noch nicht.«

Er stieß den Atem aus, denn ich hatte schon mit einer Hand in die Hose gegriffen und hielt den Schaft, der sich gegen meine Finger streckte.

»Bist du sicher?«

»Nein, ich meine ja. Ich wollte nur … oh, verdammt!«

Ich hatte ihn in den Mund genommen und die Vorhaut mit den Lippen zurückgeschoben, einer meiner Lieblingstricks. Er begann zu stöhnen, und ich nagte sanft an der Eichel und wusste, dass er verloren war. Was immer er mir hatte sagen oder zeigen wollen, musste jetzt warten.

Während ich mich seiner ernsthaft annahm, öffnete ich meine eigene Hose und fuhr mit einer Hand in den Slip. Ich war nass und bereit, und schon die erste Berührung der geschwollenen Klitoris schickte heiße Schauer durch meinen Leib. Ich fing an, mit mir zu spielen, und konzentrierte meine Gedanken auf den jetzt voll erigierten Schaft in meinem Mund.

Ich mag Schwänze, alles an ihnen, den maskulinen Geschmack, die Hitze, die feste Substanz, das Sinnbild von Potenz und Kraft und Leben. Sie zu saugen ist die beste Art, sie zu verehren, es ist sicher, bringt Spaß und beeindruckt jeden Mann. Ich mag es auch, wenn ich mich mit meinen Fingern selbst zum Höhepunkt bringe, während mein Mund es dem Mann besorgt.

Toby hatte sich mit dem Rücken an einen der breiteren Stämme gelehnt, er stöhnte jetzt und fuhr mir mit den Händen durch die Haare. Ich labte mich an ihm, strich über seine Hoden, drückte sie leicht und spürte, wie sie sich ungeduldig bewegten. Er würde nicht lange durchhalten, und ich auch nicht. Ich rieb ihn in meinen Mund hinein, verstärkte den Druck von Fingern und Lippen und sah plötzlich das Bild von Ian Marsh vor mir, und im nächsten Moment kam es mir.

Einen kurzen Augenblick war ich entsetzt über mich, aber dann begann Tobys Schaft zu rucken, und ich spürte, dass auch er kurz vor seinem Orgasmus stand. Ich saugte stärker, und es schoss aus ihm heraus. Stöhnend schob er sich tief in meinen Gaumen, und ich schluckte und schluckte und war froh, dass er nicht mitbekommen hatte, dass ich nicht sein Bild vor Augen hatte, sondern das von Ian Marsh.

Schwankend kam ich auf die Beine, knöpfte meine Jeans zu und sah in Tobys grinsendes Gesicht.

»Wolltest du mir wirklich was anderes zeigen als deinen Schwanz?«, fragte ich.

»Nein. Ja, aber ...«

»Ich dachte, du wolltest tiefer in den Wald hinein«, sagte ich. »Ich war sicher, dass du einen quer liegenden Baumstamm suchst, über den ich mich bücken sollte.«

Er lachte. »Ja, so etwas habe ich mir auch vorgestellt.«

Ich gab ihm einen Klaps auf den Arm. Er hielt mich fest, zog mich an sich und küsste mich. Erst nach einer Weile gingen wir weiter. Langsam, schweigend, bis wir wieder den Weg erreichten. Er blieb stehen, küsste mich wieder und schien plötzlich nervös zu sein.

»Das war eine wunderbare Erfahrung für mich, Juliet. Du bist so spontan.«

»Danke.«

»Ich hätte nie gedacht, dass ich mal ein Mädchen wie dich treffe, so ... so ...«

»Schmutzig? Leicht?«

»Mach dich nicht lustig über dich selbst, Juliet. Ich meine es ernst. Was ich sagen will ist ... ich würde gern, dass du meine Frau wirst. Willst du auch?«

Er fasste in seine Manteltasche und hielt einen Ring in der Hand, einen Goldring mit einem eingefassten dunklen Rubinstein, so raffiniert geschliffen, dass das Licht aus allen Richtungen kam und mehrfach gebrochen wurde.

Plötzlich war ich den Tränen nahe, und in meiner Kehle bildete sich ein dicker Kloß, der es mir unmöglich machte, etwas zu sagen. Schließlich fand ich die Kraft, den Kopf zu schütteln.

Toby drehte sich um, und ohne ein Wort zu sagen, ging er den Weg hinunter nach Alderhouse, und mir schossen die Tränen aus den Augen.

Ich stand da – ich weiß nicht, wie lange – und starrte nur auf den schlammigen Boden, während die Tränen über meine Wangen rannen. In meinem Kopf tobten die Gedanken. Ich sagte mir, ich sollte ihm hinterher rennen, sollte seinen Antrag annehmen und ihm sagen, dass es mir Leid täte, ich hätte einfach nicht damit gerechnet.

Aber dann wusste ich im nächsten Augenblick, dass ich die richtige Entscheidung getroffen hatte. Es war die einzig richtige Entscheidung gewesen. Ich konnte seinen Antrag nicht annehmen, wenn selbst in dem Moment, in dem ich ihn im Mund hatte, mein eigener Orgasmus von Gedanken an einen anderen Mann ausgelöst wurde.

Es dauerte noch eine lange Zeit, ehe ich meine Schritte zurück zum Alderhouse wandte. Ich setzte langsam einen Fuß vor den anderen, und jeder Schritt war eine

Anstrengung. Ich tupfte mir die Augen ab, aber das änderte nichts daran, dass ich mich entsetzlich fühlte.

Das Tageslicht schwand allmählich, und ich wusste, dass auf Alderhouse tausend Dinge auf mich warteten, aber das kümmerte mich jetzt nicht. Es war eher Gewohnheit als Pflichtbewusstsein, was mich überhaupt zum Restaurant führte.

Ich trat gerade durch die Küchentür und wurde sofort mit Gabriel Blane konfrontiert.

Er stand mitten in der Küche, und zu seinen Füßen breitete sich eine dicke Lache aus verschiedenen Gemüsen aus, garniert mit den Scherben einer weißen Porzellanschüssel. Sein Gesicht war dunkelrot, sein Ausdruck zeigte nur mühsam beherrschten Ärger. Er sah sich um, und dabei entdeckte er mich.

»Juliet? Wo, zum Teufel, bist du gewesen? Na, ist jetzt auch egal. Fege diesen Mist weg.«

Seine Stimme war so laut, das sie fast wie ein Schreien klang. Ich schüttelte den Kopf, zu benommen, um irgendwas zu tun, aber ich spürte, wie auch in mir der Ärger anschwoll.

Seine Reaktion auf mein Kopfschütteln war ein Schrei, der seine ganze Wut ausdrückte. »Fang endlich an, du kleine faule Schlampe! Himmel, warum muss ich mich mit solchen miesen Gestalten herumschlagen? Mit solchen Leuten kann ich nicht arbeiten!«

Er warf fuchtelnd die Arme in die Luft, dann trat er mit dem Fuß gegen den Unrat auf dem Boden. Er versaute die ganze Küche damit. Als er wieder sprach, war seine Stimme ein drohendes Zischen.

»Fege es auf, oder verschwinde.«

Ich verschwand.

Zehntes Kapitel

Ich hatte alles weggeworfen – meinen Freund und meinen Job –, nur um meinen sturen Kopf durchzusetzen. Wenn ich Tobys Antrag akzeptiert hätte, könnte ich Blane sagen, wohin er sich den Schmutz vom Boden stecken sollte, einschließlich der scharfen Porzellanscherben. Oder ich hätte noch einmal meinen Stolz schlucken und den Dreck wegfegen können. Dann hätte ich jetzt noch einen Job.

Das ganze Geschehen eignete sich auch nicht für eine große Selbstbemitleidungsarie. Ich konnte mir nicht einreden, dass Blane mich gefeuert hatte; dieser Bastard behandelte alle Leute gleich schlecht.

Ich konnte auch nicht behaupten, dass ich Toby aus moralischen Gründen einen Korb gegeben hätte. Es gibt viele verheiratete Frauen, die unumwunden zugeben, dass sie beim Sex mit ihrem Mann von Popstars träumen, und niemand wirft ihnen das vor. Nein, ich hatte mir meine missliche Lage selbst zuzuschreiben, mir, der sturen, überempfindlichen Juliet, die nicht zu beschäftigen und nicht zu heiraten war.

Mein erster Gedanke war, Emma zu finden und mich mit ihr sinnlos zu betrinken. Wir könnten unsere Sorgen in mehreren Flaschen Wein ersäufen. Leider hatte sie diese Idee schon vor ein paar Stunden gehabt, wie ich auf der Bourne Farm erfuhr. Sie war mit Ray in die Royal Oak gegangen. Ich hatte keine Lust, mich ihnen jetzt noch anzuschließen, und so endete ich in meiner

Küche mit einer Flasche Romanée-St. Vivant mit einem Rausch, der mehrere tausend Pfund wert war.

Alles, was er mir einbrachte, war ein höllischer Kopfschmerz. Emma war offenbar auch nicht besser dran, was ich aus der Tatsache schloss, dass ich vom Geschrei der Tiere geweckt wurde. In Morgenmantel und Pantoffeln lief ich hinaus und fütterte Ziegen und Hühner. Danach wusch ich mich, zog mich an und braute Kaffee. Ich setzte mich an den Küchentisch und fragte mich, was ich jetzt mit mir anfangen sollte.

Eine Rückkehr war ausgeschlossen. Weder zu Blane noch zu Toby. Tobys Abkehr von mir hatte etwas Endgültiges gehabt. Ich sah noch, wie er sich abrupt umgedreht hatte und davongegangen war. Und ich würde lieber verhungern, als zu Blane zurückzugehen.

Ich könnte es noch einmal mit meinem eigenen Geschäft versuchen, aber mir fiel kein Grund ein, warum es jetzt einfacher sein sollte als vorher. Im Gegenteil, diesmal würde ich eher auf Widerstand stoßen, weil die Restaurants mir nicht mehr zutrauten, auch dann durchzuhalten, wenn es anfangs nicht so gut lief.

Vielleicht sollte ich es mit einem ganz anderen Job versuchen, am liebsten irgendwo in der Gegend, damit ich nicht so weit zu fahren brauchte. Das wäre eine vernünftige Alternative, aber keine, die ich wirklich wollte. Und so saß ich in der Küche, schaute finster aus dem Fenster und staunte über eine Idee, die sich langsam in meinem Kopf formte.

Wenn meine Ersparnisse unter eine gewisse Summe gefallen waren, stand mir die erbarmungswürdige Unterstützung des Sozialamts zu. Damit konnte ich mir die Grundbedürfnisse des Lebens leisten: Kleider, Hygieneartikel, Basisnahrungsmittel. Den Rest konnte ich im Garten ernten und mit Emmas Eltern oder anderen Bauern in der Gegend tauschen. Und ich konnte wieder wildern gehen.

Es war ein verrückter Plan, und tief in mir wusste ich, dass ich ihn nie verfolgt hätte, wenn ich nicht in dieser emotionalen Klemme gesteckt hätte. Aber der Plan gefiel mir; er versprach mir die Freiheit, die mir so wichtig geworden war. Im Wildern war ich geschickt gewesen, ich hatte Mut und Geduld und – besonders nach dem Hecht – Entschlossenheit bewiesen.

Ich brauchte mein Wildern ja nicht auf den Besitz von Alderhouse zu beschränken, ich konnte auch die umliegenden Ländereien heimsuchen, allein oder gemeinsam mit Emmas Brüdern. Schlechtes Gewissen? Himmel, sie züchteten die Fasane doch nur, damit eine Horde wohlhabender Städter ihre Blutlust an ihnen stillen konnten.

Die meisten Dinge, die in meinem Garten wuchsen, konnte ich konservieren, das hatten Menschen seit Jahrhunderten getan, bevor es Kühlschränke und Vakuumverpackungen gab. Mit meinem Plan würde ich nicht hungern und auch nicht gezwungen sein, meinen Platz in der modernen Gesellschaft einzunehmen. Ich hatte niemanden über mir, und niemand würde mir sagen können, was ich zu tun hatte.

In meinem Hinterkopf wusste ich, dass es ein alberner Traum war. Ich war sicher, dass es Nachteile gab, die ich – wie bei meiner Geschäftsgründung – übersehen hatte. Aber Nachteile hin oder her – ich wusste, ich würde wieder wildern gehen.

Drei Tage habe ich es nicht getan. Ich saß im Cottage und ließ den Kopf hängen, und insgeheim hoffte ich wohl, dass Toby kam und alles klärte. Aber er kam nicht, und je verbitterter ich wurde, desto entschlossener wurde ich.

Am Abend des vierten Tages entschied ich, dass ich lange genug gewartet hatte. Ich hatte es satt zu schmollen und wollte meine Stimmung heben. Draußen war es kühl, denn hinter den Hügeln ging langsam die Sonne unter. Das Orange ging in ein dunkles Rot über, und dann setzten die langen dunklen Schatten ein, die zur Nacht gehörten.

Ich war bereit. In mir bibberte die Lust am Verbotenen. Natürlich steckte da mehr dahinter als nur die Sehnsucht nach Abenteuer. Rache zum Beispiel. Ich hatte mir alles genau ausgerechnet. Marsh hatte die Fallen aufgestellt, aber ich würde ernten. In den frühen Morgenstunden würde ich ihm zuvorkommen.

Wenn ich mit Geschick vorging, würde er vielleicht nicht einmal merken, dass jemand seine Fallen geplündert hatte, aber das war es nicht, was ich wollte. Er sollte wissen, dass ich mich mit ihm duellierte, aber ich wollte ihm und Toby immer einen Schritt voraus sein.

Es war zwei Uhr morgens, als der Wecker mich aus dem Schlaf riss. Der Adrenalinstoß sorgte dafür, dass ich sofort ganz wach war. Kaltes Wasser, das ich mir ins Gesicht klatschte, dann heißer Kaffee. Ich schlüpfte in meine Tarnkleidung, und meine Finger zitterten vor Erwartung. Wie beim Sex.

Der Halbmond warf einen matten Schein wie altes Zinn über die Felder und Wälder. Die Schatten sahen wie schwarze Höhlen des Nichts aus. Ich blieb eine Weile stehen und lauschte, aber ich hörte nichts, nicht einmal das stete Brummen von der Autobahn. In einer

Hand hielt ich den Sack, die andere setzte ich ein, um mir den Weg zu bahnen, als ich mich vom Weg in die Büsche schlug. Die Route war mir inzwischen vertraut geworden.

Ian Marsh war niemand, den ich unterschätzen durfte, aber ich brauchte Licht. Ich stellte die Taschenlampe auf rotes Licht um, das reduzierte den Schein auf ein Minimum, und außerdem richtete ich den Strahl auf den Boden. Es dauerte eine Weile, bis sich meine Augen an das dunkelbraune Licht gewöhnt hatten, deshalb bewegte ich mich nur äußerst vorsichtig.

Die erste Falle, die ich sah, war leer. Ohne den trüben Schein der Lampe wäre ich hineingetreten.

Die nächsten Fallen waren nicht leer, und als ich den Bogen rund um das Gehege geschlagen hatte, lagen vier Kaninchen in meinem Sack. Das genügte. Mit einem befriedigenden Gefühl drehte ich ab und ging zurück ins Cottage. Ich hängte den Sack in die Vorratskammer, duschte und ging ins Bett.

Ich hatte auf meine Art gejagt und mein Essen für die nächsten Tage besorgt. Es war mein bisher unkompliziertestes Wildern gewesen, aber als ich morgens am Küchentisch saß und den heißen Kaffee schlürfte, wusste ich, dass ich bald wieder auf die Jagd musste.

Ich war spät aus den Federn gekommen. Emma hatte die Tiere gefüttert, ohne mich zu wecken. Mein Tag begann damit, die Kaninchen zu häuten und auszunehmen. Selbst ein Tier war mehr, als ich vertilgen konnte, deshalb wollte ich Emma einladen, denn seit wir beide nicht mehr im Restaurant arbeiteten, hatten wir keine Gelegenheit gehabt, uns mal in Ruhe zu unterhalten. Zweimal hatte ich sie seither gesehen, aber sie war immer mit Ray zusammen gewesen.

Sie würde vielleicht ahnen, was ich verbrochen hatte, aber das war mir egal. Vielleicht würde ich es ihr sogar sagen. Ich wollte meinen Triumph mit jemandem teilen, und ich wusste, dass sie mein Tun nicht missbilligen würde. Also rief ich sie an, und sie sagte freudig zu. Kurz nach Einbruch der Dunkelheit war sie da und lief beschwingt und schnüffelnd durch die Küche.

»Mhm, das riecht aber gut! Was kochst du denn?«

»Schmortopf. Kaninchen.«

»Lecker! Ich kann's kaum erwarten.«

Nun, du wirst dich noch gedulden müssen. Wein?«

»Ja, gern.«

Ich hatte schon eine Flasche Jumilla geöffnet. Sie hielt ihr Glas an die Nase, atmete tief ein und schloss die Augen. »Sehr gut«, lobte sie. »Weißt du, ich liebe Kaninchen. Wie hast du es zubereitet?«

»Rotwein, Thymian und viel Pfeffer.«

»Lecker, lecker, lecker! Wie bist du an Kaninchen gekommen? Hast du Fallen aufgestellt?«

»Nein, kann man nicht so sagen.« Ich sah sie an und versuchte einen unschuldigen Ausdruck.

Aber sie ließ sich nicht so schnell in die Irre führen. »Du hast irgendwas angestellt, nicht wahr? Ich sehe es dir an, Juliet.«

»Ja. Ich habe gewildert.«

»Auf dem Besitz von Alderhouse? Damit kommst du nicht durch. Marsh kennt jeden Quadratzentimeter des Besitzes. Er wird deine Fallen zerstören.«

»Nein, das wird er nicht. Ich habe die Fallen geplündert.«

Sie schlug beide Hände vor den Mund, und dunkler Jumilla sickerte durch ihre Finger.

»Du hast was getan? Er wird dich umbringen! Er wird

jede Nacht mit einer Schrotflinte auf dich warten und deinen Arsch mit Körnern spicken.«

Sie war entsetzt, aber sie musste auch lachen.

Ich lachte mit ihr. »Aber auch er wird irgendwann einmal schlafen müssen.«

»Verlass dich nicht darauf. Die Jagdsaison ist vorbei, da kann er tagsüber schlafen, wenn er will.«

»Ja, ich weiß. Ich werde auch nicht oft auf Beutejagd gehen, jedenfalls nicht hier. Glaubst du, deine Brüder haben was dagegen, wenn ich mich ihnen ab und zu mal anschließe?«

»Da sehe ich kein Problem, wenn sie hören, wie kaltblütig du bist.«

»Großartig. Dann sage mir Bescheid, wenn sie auf Tour gehen.«

Darauf stießen wir an und grinsten wie zwei Verschwörerinnen. »Ich weiß, dass es das beste Kaninchen ist, was ich je gegessen habe«, sagte Emma.

Ich selbst fühlte mich besser als seit Tagen. Emma deckte den Tisch, und ich sah nach dem Braten. Nach vier Stunden war die Kasserolle genau richtig. Emma schluckte schon aufgeregt.

In Ilsenden hatte ich frisches Brot gekauft, ich schnitt dicke Scheiben ab, bestrich sie mit Jersey Butter und legte sie auf die Teller, wo sie die Säfte von der Kasserolle aufsogen. Bald hatten wir fettige Gesichter wie kleine Kinder, und unsere Lippen waren rot vom Wein.

Nach dem Essen blieben wir noch lange auf und redeten, bis Emma in ihrem Sessel eingeschlafen war. Ich legte eine Decke über sie und ging mit schwankenden Schritten ins Bett.

Das Wildern tat meinem Selbstbewusstsein gut, und außerdem machte es mich zu einem Mitglied der Familie Bourne. Emmas Eltern verschlossen die Augen; ich nahm an, dass der Vater in seinen jungen Tagen auch von der Wilderei gelebt hatte.

Ich ging mit ihnen zu einem Forellenteich in Kennet, aus dem wir so viele Tiere fischten, dass wir die Säcke kaum schleppen konnten. Auf der Rückfahrt sangen wir glückselig, und auf der Farm bereitete ich ihnen Forelle in Cashewnussbutter zu. Es schmeckte köstlich.

Am nächsten Tag fuhren Danny und Emma nach Reading und verkauften die Forellen von Tür zu Tür. Mein Anteil betrug zweiundsiebzig Pfund sowie ein halbes Dutzend Forellen, die ich räucherte. Kein schlechter Schnitt für die Arbeit einer Nacht, jedenfalls mehr, als ich vom Sozialamt für eine ganze Woche erhalten hätte.

Ich wartete bis nach dem Vollmond, ehe ich wieder in den Wald aufbrach. Es war die perfekte Nacht für mein Vorhaben, klar und frisch, aber noch kein Bodenfrost, der meine Stiefelabdrücke hätte festhalten können. Ich nahm mir Emmas Warnung zu Herzen und folgte nicht meiner üblichen Route, sondern folgte ganz lange dem Weg, immer bereit, in die Büsche zu springen, falls sich ein Fahrzeug näherte. Aber ich sah kein Fahrzeug, und auf der Höhe der alten Spur tauchte ich ins Unterholz. Immer wieder blieb ich stehen, um auf Geräusche zu achten.

Mir fiel plötzlich der Schrein ein, und ich nahm den schmalen Weg dahin. Tatsächlich lag auch jetzt wieder eine frische Weinrebe da, sie war erst kürzlich hingelegt worden. Dicke grüne Trauben hingen an der Rebe, es fehlte keine einzige. Ich wich unwillkürlich zurück, weil ich glaubte, der Spender könnte noch in der Nähe sein.

Während ich wartete und mein Herz bubberte, lauschte ich nach dem kleinsten Geräusch. Irgendwas war anders als sonst. Da war ein Geruch, der nicht in diese Umgebung passte. Es war ein strenger, süßlicher Geruch, ein Duft, schwer wie ein süßer Wein. Verwirrt richtete ich den Schein meiner Taschenlampe auf die Weintrauben. Einige glänzten von einer klebrigen gelben Flüssigkeit. Ich schnüffelte einige Male, und diesmal fing ich den Duft auf, es war weder Wein noch Honig, sondern Met. Er hatte ein Trankopfer über die Trauben gegossen, das hatte er bisher noch nie gemacht.

Ich huschte wieder in mein Versteck zurück und überlegte, ob dies eine besondere Nacht war. Es gab um diese Zeit ein keltisches Fest, das sich Imbolc nannte, mit dem die Schwangerschaft der Göttin gefeiert wurde. Ich wäre gern bei diesem Fest dabei gewesen, um es auf die geziemende Art und Weise zu feiern, zusammen mit dem Mann meines Herzens, dessen Saat ich in mich aufnehmen würde.

Völlig benommen hockte ich da, ein klebriges Zucken zwischen den Schenkeln. Geduckt schlich ich mich von der Opferstätte weg, zurück Richtung Weg, geräuschlos wie der Geist des Waldes, dachte ich – und lief in die Arme von Ian Marsh.

Er hatte auch im Gebüsch gehockt und auf die mondbeschienene Spur gestarrt. Als ich mit dem Knie gegen seinen Rücken stieß, schrie er überrascht auf, dann gab er einen zischenden Laut der Wut von sich. Er fuhr herum und warf sich gegen mich, und ich landete auf dem Rücken. Er begrub mich unter sich, bevor ich eine Chance hatte, ihm zu entkommen.

Mit seinen dicken Fingern zerrte er an meiner Gesichtsmütze. »Komm, lass mal sehen, wer du bist, du mieser Bastard«, fauchte er wütend.

Ich packte seinen Arm und wollte verhindern, dass er meine Anonymität entlarvte, aber genauso gut hätte ich versuchen können, mit einem Stier zu ringen. Er riss mir die Mütze von Gesicht und Kopf, meine Haare lösten sich, und ich starrte auf diese schwarze Silhouette, zitternd vor Angst.

Aber das war nicht mein einziges Gefühl. Ich spürte die Beule seines Schoßes und mein Verlangen, mich ihm ganz auszuliefern, aber bevor ich etwas sagen konnte, hörte ich wieder seine zischende Stimme.

»Jetzt bist du dran, du miese Ratte! Ich werde dir zeigen, was es heißt, in meinem Wald zu klauen!«

Ich sah, wie er die Faust ballte. Er würde mich ins Gesicht schlagen. Entsetzt brabbelte ich drauflos. »Nein, nicht! Ich bin's, Juliet!«

Er hielt in der Bewegung inne. »Eh?«

»Hör auf, du Ochse. Ich will nichts aus deinem Wald klauen, ich will, dass du's mir besorgst. Verstehst du? Ich will deinen Schwanz.«

Ich griff nach seinem Körper, wusste vor Benommenheit kaum, was ich tat, nur dass ich ihn aufgeilen musste, damit seine Aggressivität in Lust umschlug. Er hielt meine Handgelenke mit einer Hand fest, und mit der anderen Hand berührte er meine Brüste. Ich blieb still liegen und keuchte unter seinem Abtasten. Mein Pullover wurde hastig nach oben geschoben, meine Bluse zerriss er mit einem einzigen Ruck.

Ich stieß einen keuchenden Laut aus, als ich die kalte Nachtluft auf meinen nackten Brüsten spürte. Er grunzte ungläubig und fing jetzt ernsthaft an, mich zu befühlen und abzugreifen. Ich leistete keinen Widerstand, ich war hilflos und wollte genau das sein. Auch als ich seine Finger auf meiner Hose spürte, konnte ich nur stöhnen. Ein Ruck, und der Knopf sprang ab, dann hatte er den Reißverschluss aufgezogen.

Er wälzte sich von mir, hielt aber meine Gelenke im Schraubstock seiner Hand. Er riss meine Hose nach unten, zerrte sie über meine Stiefel und spreizte meine Beine, ehe er seinen Reißverschluss aufzog.

»So, du kleine Hexe, jetzt wirst du sehen, wie so eine Nummer im Wald wirklich abläuft.«

»Bitte, Ian, ich . . .«

Er legte sich wieder auf mich, und ich konnte nur einen kurzen Blick auf seinen Schwanz erhaschen. Im nächsten Moment spürte ich ihn. Ich war nass, und er drang schon ein, obwohl er noch nicht voll erigiert war. Ich spürte ihn in mir hart werden, und dann begann er mit dem, was ich mir schon so oft vorgestellt hatte.

Ich schlang die Arme um ihn. Was für ein Kerl, so stark, so männlich. Meine Beine klemmten sich um seine Taille, und er pumpte härter und schneller in mich hinein. Sein Grunzen wurde lauter, animalischer. Seine Instinkte übernahmen die Kontrolle, und ich lag da auf dem Waldboden, ließ mich von ihm nehmen, folgte ganz seinem Körper, unterwarf mich ihm, lieferte mich ihm aus.

Es kam mir überfallartig. Ich glaube, es lag am derben Cord seiner Hose, der b ei jedem tiefen Stoß gegen meine Klitoris rieb. Meine Finger gruben sich tief in seinen Rücken, ich kratzte ihn, biss ihn in Hals und Schultern, wälzte mich unter ihm hin und her, während ich von ekstatischen Wellen geschüttelt wurde.

Ich konnte es nicht länger aushalten, und dann spürte ich, wie er auf mir erstarrte, und im nächsten Moment pumpte er auch schon in mich hinein.

Er küsste mich nicht, und er sprach kein Wort. Er stand einfach auf, steckte den abschlaffenden Penis in seine Hose und griff nach mir. Ich war völlig erschöpft, aber wenn er es jetzt noch einmal anfangen wollte, konnte er mich haben, wie immer es ihm genehm war.

Er hob mich auf, als wäre ich leicht wie eine Stoffpuppe und warf mich über seine Schulter, mein nackter Po hoch in der Luft. Er trug mich durch den Wald zu seinem Cottage. Er zog die Tür auf, rollte mich über die Schulter ab, und ich landete auf dem Boden, die Beine hoch und gespreizt.

Ich war völlig verdreckt; Matsch und Blätter hatten sich in meinen Haaren verfangen, und auch mein Po hatte auf dem feuchten Waldboden gelegen. Aber mich störte das nicht, und ihn offenbar auch nicht.

Er griff an seinen Gürtel, und einen schrecklichen Moment lang fürchtete ich, er wollte mich damit schlagen. Doch das hatte er nicht im Sinn. Er löste den Gürtel, öffnete die Hose und holte seinen Schaft heraus.

Jetzt sah ich ihn das erste Mal richtig, ein monströses Ding, dick und braun und schwer, von fetten blauen Adern durchzogen, grotesk und großartig zugleich und noch nass glänzend von meinen und seinen Säften.

»Zieh dich aus, Mädchen. Lass mich sehen, was der junge Paxham-Jennings bisher für sich allein hatte.«

Er genoss offenbar die Vorstellung, dass ihm jetzt etwas zur Verfügung stand, was seinem Juniorboss gehörte. Während er mir zuschaute, rieb er träge seinen strotzenden Schaft. Er starrte gierig auf meinen Körper, den ich ziemlich schnell entblößt hatte, denn die meisten Kleidungsstücke hatte er mir schon abgestreift oder vom Leib gerissen.

Mit einem Schnaufen stürzte er sich auf mich. Er beugte mich über den kleinen Tisch, packte mich an den Hüften und stieß den Schaft tief in mich hinein. Er nannte mich eine kleine Schlampe. Ich konnte ihm nicht antworten, weil er mit seinen Stößen die Luft aus meinem Körper presste.

Als ich aufwachte, war Ian schon aufgestanden. Er stand im winzigen Bad und rasierte sich. Die Tür stand auf. Das winterliche Sonnenlicht strahlte durch sein Fenster, während es im Schlafzimmer wegen des zugezogenen Vorhangs noch dunkel war.

Ich befand mich in einem Stadium des absoluten Glücksgefühls. Ich atmete seinen Geruch ein, der mich umgab. Ich sah dem Spiel seiner Muskeln in Armen und Schultern zu, als er sich die Stoppeln aus dem Gesicht kratzte. Ich spürte die blauen Flecken, wo er mich angepackt hatte, an Beinen, Armen, Hüften, aber das war mir egal. Der dumpfe Schmerz erinnerte mich lediglich daran, was ich getan hatte, was wir gemeinsam erlebt hatten. Es war eine großartige Erfahrung, an die ich mich immer gern erinnern würde.

War er kurz vor mir am Schrein gewesen, bevor wir uns im Wald getroffen hatten? Er hatte keine Ahnung, dass ich von seinen heimlichen Opfern wusste. Ich wollte, dass er zu ihnen stand und dass er seine Rituale mit mir teilte.

Er hatte keinen Grund, von sich aus darüber zu sprechen, also musste ich beginnen, aber ich wusste nicht, wie ich das anstellen sollte, schließlich handelte es sich um etwas sehr Persönliches. Ich rang nach den richtigen Worten, während er sich noch rasierte, und dann war er fertig und lächelte mich an.

»Ich war am Schrein, kurz bevor du ...«

Sein Ausdruck veränderte sich kaum, als er schroff fragte: »Was ist das denn?«

»Dein Schrein, Ian.«

»Schrein? Wie Altar?«

»Ja.«

»In meinem Wald?«

»Ja. Nicht weit von deinem Caravan entfernt. Zwischen der alten Spur und dem Gehege.«

»Ich weiß nichts von einem Schrein.«

Er musste es wissen.

»Du kannst es mir sagen, Ian. Ich will es nur wissen und daran teilhaben.«

»Tut mir Leid, Mädchen, aber ich habe keine Ahnung, wovon du sprichst.«

Er war ganz entspannt, freundlich, ein wenig amüsiert. Er spielte mir etwas vor, oder? Ja, es musste ein Spiel sein.

»Bitte, Ian. Ich weiß Bescheid. Gestern war eine Rebe da, kurz bevor ... bevor wir uns getroffen haben.«

»Keine Reben. Nicht in meinem Wald.«

»Ian, bitte. Du kennst doch die alte Buche neben der alten Spur. Ein paar Initialen sind da eingeritzt, und daneben steht ein Marmorpfeiler. Du hast eine frische Rebe auf dem Pfeiler abgelegt. Bitte, sage mir, dass du es warst.«

»Tut mir Leid, Mädchen. Ich kenne die Stelle, ja, obwohl sie ein bisschen weg von meiner Route liegt. Warum soll ich eine Rebe dahin legen? Das waren vermutlich Kinder, dieselben vielleicht, die auch ihre Initialen in die Buche geritzt haben.«

»Nein, das waren meine Vettern, und das ist schon Jahre her. Die Trauben waren ganz frisch.«

Er hob die Schultern und schüttelte den Kopf. »Lass dich von diesem Unsinn nicht ablenken. Wie ist es mit einem Kuss, bevor ich zur Arbeit muss?«

Er sprach nicht von einem Kuss auf den Mund. Er hielt seinen Schwanz in der Hand und brachte ihn vor mein Gesicht. Ich nahm ihn in den Mund und spürte nichts als Widerwillen.

Er wollte mich auf den Arm nehmen. Natürlich wusste er von dem heidnischen Altar, und die einzigen anderen Menschen, die ihn nutzen konnten, waren die Paxham-Jennings'. Aber Toby und seinen Vater schloss ich aus, ihnen traute ich solche primitive Gläubigkeit nicht zu, sie waren gebildet und gingen regelmäßig in die Kirche, nahm ich an. Bei Elizabeth war ich mir nicht so sicher, immer still und ein wenig reserviert, gewiss intelligent. Ich war ihr oft auf den Wegen begegnet oder hatte sie dort gesehen, aber nie im Wald.

Vielleicht konnte Emma mir helfen. Sie saß auf den Stufen vor ihrem Caravan und nutzte die letzten Sonnenstrahlen aus, als ich zum Cottage zurückkehrte. Ich trat durchs Tor, und sie schaute auf, ihr Gesicht ein gespieltes Bild der Empörung.

»Was treibst du denn in den Nächten? Hast du dich wieder mit Toby versöhnt?«

»Nein, eh ... nicht ganz. Hör mal, Emma, am Tag, als ich eingezogen bin, hast du Wein auf die Türschwelle geschüttet. So als Trankopfer, nicht wahr?«

»Ja, das bringt Glück.«

Ja. Aber ich weiß nicht, was dahinter steckt. Hat es eine tiefere Bedeutung, oder ist das eine alte Sitte?«

Sie verzog das Gesicht. »Eine alte Sitte, glaube ich. Und schaden kann es ja nicht.«

»Du gehst nicht zur Kirche, nicht wahr?«

»Nein, es ist mir zu lästig. Granny hat darauf bestanden, dass wir hingingen, aber es ist so langweilig.«

Es hat also nichts damit zu tun, dass du Heidin bist?«

»Heidin?« Sie kicherte. »So mit Hexenglauben und wirre Tänze in Stonehenge?« Sie schüttelte den Kopf.

Ich blieb ernst. »Ich glaube, Ian Marsh fährt darauf ab.«

»Ian Marsh? Niemals. Ich meine, er ist einfach nicht der Typ.«

»Nicht auf den ersten Blick.«

»Nein, überhaupt nicht. Er ist nur ein Klotz, das ist alles. Aber warum all die Fragen? Was ist passiert?«

»Ich war die Nacht über bei ihm.«

»Bei Marsh? Ich werd verrückt! Was ...?«

»Ich habe gewildert.«

»Und er hat dich erwischt?«

»Ja, irgendwie schon. Er hat sich in den Büschen versteckt, und ich bin über ihn gestolpert.«

»Das darf doch nicht wahr sein! Und dann hat er dich mit in sein Cottage genommen, und da habt ihr die ganze Nacht gevögelt? Du hast dich ganz schön aus der Bredouille gequatscht, was?«

»Nun ja, ich glaube, wäre ich keine Frau gewesen, hätte es übel enden können, aber als er begriff, was ich wollte, war alles klar. Er ist ja so ein Tier, Emma. Ich habe noch nie erlebt, dass ein Mann so schnell wieder bereit ist. Und wieder und wieder.«

»Du zierst dich nicht lange, was?«

»Er hat mir gegeben, was ich wollte.«

»Und was sollten diese Fragen? Hat er irgendwas Seltsames getan?«

»Nein, überhaupt nicht. Er will's nur ganz normal und macht alles nur mit seiner Kraft. Aber in seinem Wald gibt es einen kleinen Altar, und dort legt er schon mal eine Weinrebe hin, als eine Art Opfer oder so. Und gestern Abend hat er auch noch Met über die Rebe gegossen.«

»Das hört sich nicht nach Marsh an. Vielleicht Kinder?«

»Das hat er auch gesagt. Aber in seinem Wald, bei seinem Ruf?«

Emma hob die Schultern. »Vielleicht scheren sie sich nicht um ihn. Du weißt doch, was wir uns alles getraut haben.«

Ich gab keine Antwort. Dass all meine Phantasien über einen verwegenen Heidenkult nur Hirngespinste von Kindern sein sollten, wollte ich nicht glauben, auch deshalb nicht, weil Marsh dadurch plötzlich entzaubert schien. Ohne diese heimliche Liebe zu irgendeinem Naturglauben war er wirklich nur der derbe Klotz, rücksichtslos, selbstsüchtig, ohne Tiefgang.

Ich fürchtete, dass Emma Recht hatte.

Es gab nur einen Weg, das herauszufinden. Ich musste ihn am Schrein erwischen. Dann konnte er es nicht länger leugnen. Er würde vielleicht wütend sein, aber das musste ich riskieren.

Am anderen Nachmittag ging ich zum Schrein, weil ich hoffte, Marsh da zu treffen. Es war kälter geworden, und wo die Sonnenstrahlen nicht durchdrangen, hielt sich das Eis auf den Pfützen. Ich ging den Pfad entlang und schlug mich an einer anderen Stelle in den Wald, weil ich glaubte, ihn dann eher überraschen zu können. Ich sah die dicke Buche schon von weitem und versteckte mich hinter ihrem mächtigen Stamm, den Marmorpfeiler direkt im Blick.

Drei Stunden später gab ich auf, völlig verkrampft und durchfroren. An einem Winternachmittag reglos hinter einem Baum zu ducken war kein bequemer Zeitvertreib, also musste ich mir eine andere Möglichkeit einfallen lassen, Marsh als Opferbringer zu entlarven.

Mein erster Gedanke war, eine von Marshs Wildererfallen auszuleihen und sie zum Schrein zu bringen. Aber er würde es nicht zu schätzen wissen, wenn ich ihn mit seinen eigenen Waffen schlug.

Ein Mikrofon war die viel bessere Idee. Wieder fuhr ich nach Reading und kaufte ein sehr empfindliches Mikro, das jedes Geräusch in die Wärme meines Wohnzimmers übertrug. An einem Nachmittag installierte ich das kleine Wunderwerk der Technik, dann ging ich nach Hause und lauschte den Geräuschen des Waldes, die manchen Schauer über meinen Rücken jagten.

So liefen die nächsten Tage ab, und allmählich gewöhnte ich mich an die kratzenden, schlürfenden, schlurfenden Geräusche des Waldes, an plötzliches Bellen und ängstliches Schreien. Aber dann zuckte ich zusammen, als ich im dösenden Zustand hörte, wie mein Name gerufen wurde.

Ich fuhr erschrocken vom Bett hoch und lauschte angestrengt. Aber da war nur Schweigen, und ich dachte schon, dass ich geträumt hätte.

»Juliet, meine Liebe.«

Jeder Irrtum war ausgeschlossen. Und die Stimme erkannte ich auch sofort. Im nächsten Moment war ich aus dem Bett und suchte meine Kleider. Ich durfte ihn nicht verpassen. Ich musste ihn vor seinem Schrein stellen.

In der Eile zog ich den Slip falsch herum an, ich stieg in die Jeans und warf mir einen Pullover über, ohne mich lange mit dem BH aufzuhalten. Nackte Füße in die Stiefel, dicker schwarzer Mantel, den ich erst zuknöpfte, als ich schon den Pfad entlanglief.

Es war kalt und dunkel, aber ich hätte den Weg auch im Schlaf gefunden. Schlimmer war, dass ich wegen der Eile so laut war wie eine Herde Elefanten im Porzellangeschäft. Dann sah ich den mächtigen Stamm der Buche vor mir, und als ich das Licht sah, blieb ich wie erstarrt stehen.

Das Licht spendete eine Laterne, die an einem Haselnusszweig hing und die nächsten Bäume buttergelb färbte. In der Mitte des Scheins stand Toby, den Kopf wie im Gebet gebeugt, die Augen geschlossen. Auf dem Pfeiler, direkt vor ihm, lag eine dicke Weinrebe, und der dickflüssige Met legte einen gelben Glanz über die Trauben.

Ich trat näher und spürte mein Herz im Hals schlagen. Tiefe Schluchzer drängten aus meiner Kehle, meine Emotionen wühlten mich so sehr auf, dass ich jeden Moment in Tränen ausbrechen würde. Toby hörte und sah mich erst, er nahm mich erst wahr, als ich sanft seine Hand nahm.

Er zuckte zusammen, stammelte irgendwas, drehte sich mir zu und stieß einen ganzen Wortschwall aus. Es dauerte eine Weile, bis ich den ersten Satz verstehen konnte.

»Juliet! Ich habe dich nicht gesehen! Ich wollte nur …«

Sein Gesicht war knallrot geworden. Ich trat einen Schritt näher und legte einen Finger über seine Lippen. Ich küsste ihn, erst auf den Mund, dann auf den Hals. Meine Hände strichen über seinen Körper, drückten die sanfte Schwellung in seinem Schritt. Er ließ es geschehen, sagte nichts und sah zu, wie ich seine Hose öffnete und seinen Penis in die Hand nahm.

»Oh, ja, hier … Das ist der richtige Ort.«

Ich sank auf meine Knie und nahm ihn in die Wärme meines Mundes. Ich begann zu saugen und schloss die Augen, damit ich mich auf seinen Geschmack konzentrieren konnte. Seine Hand lag auf meinem Kopf, aber er packte nicht meine Haare, wie Marsh es getan hatte, damit ich ihn tiefer nehmen musste, sondern er strich zärtlich über Kopf und Wangen.

Nach einer Weile entließ ich ihn aus meinem Mund, ich lehnte mich auf den Knien zurück und entblößte mich. Ich schob den Pulli über meine nackten Brüste und drückte Jeans und Slip in einem Zug nach unten.

Toby schluckte. Seine Augen labten sich an meinem Körper. Er legte eine Hand um seine Erektion, und dann sahen wir uns tief in die Augen. Ich erhob mich, lehnte mich über den Pfeiler und drückte einladend meinen Po heraus.

Er stellte sich hinter mich, und ich schloss die Augen

und wartete auf sein Eindringen. Natürlich brauchte ich nicht lange zu warten. Seine Hände umfassten meine Brüste, Daumen und Zeigefinger spielten mit den Nippeln. Sie waren hart von der Kälte und erregt von der Situation, und dann spürte ich seine Eichel, die meine Labien teilte und langsam in mich eindrang.

Ich schrie leise auf, als er mich aufspießte, und meine Hände umfassten den Marmorpfeiler. Er begann mit langsamen, gemessenen Stößen, und ich schwenkte meinen Po hin und her und spürte eine immense Lust, gerade hier und auf diese Weise und ausgerechnet von ihm genommen zu werden.

Seine Hand glitt tiefer über meinen Bauch und tauchte hinunter zum Schoß, und während er den Rhythmus steigerte, rieb er druckvoll über meine geschwollene Klitoris, und das war zu viel für mich, die Tränen schossen mir vor Ergriffenheit in die Augen, und zugleich setzte der Orgasmus ein, und als es mir kam, wurde mein Körper geschüttelt, Schluchzer brachen aus mir heraus, und die Tränen rannen über meine Wangen. Es war die pure Ekstase.

Sie schien nicht enden zu wollen. Herrliche Zuckungen liefen durch meinen Körper, und die Muskeln meiner Pussy klammerten sich um seinen Schaft. Er hielt mich mit einem Arm umschlungen, und mit der anderen Hand tupfte er sanft gegen meine pochende Klitoris. Erst als mein Höhepunkt abzuklingen begann, packte er mich an den Hüften und trieb hart und fest in mich hinein, füllte mich aus mit seinem wunderbaren Schaft. Im Augenblick seiner Erfüllung schrie er auf, es war ein Schrei der Erlösung, und ich drückte meinen Po gegen ihn und spürte, wie er sich tief in mir entlud.

Er umschlang meinen Körper, als wollte er sich nie wieder von mir lösen, aber dann drehte er mich herum und nahm mich in seine Arme. Wir glitten auf den kalten, nassen Boden, aber ich spürte nur seine Wärme und eine tiefe Befriedigung aller meiner Sinne.

Eine lange Zeit sagte niemand etwas. Toby streichelte nur immer wieder über meine Haare und küsste mich. Am liebsten wäre ich immer da liegen geblieben, aber allmählich kroch die Kälte in meinen nackten Po. Toby rutschte zur Seite, und ich stand auf und richtete meine Kleider. Toby sah mir zu, wobei ein sanftes Lächeln auf seinem Gesicht lag.

»Woher hast du gewusst, dass du mich hier findest?«

»Ich ... nun, du kannst es weibliche Intuition nennen. Ich bin schon einige Male hier gewesen und habe die Reben gesehen. Sie haben mich fasziniert. Ich wollte wissen, wer der Natur solche Opfer bringt. Ich dachte zuerst, es wäre Ian Marsh.«

»Ian Marsh? Er weiß davon und hält mich für ein bisschen durchgedreht. Du auch?«

»Nein, Toby. Ich glaube, du bist was Besonderes. Du hast nichts gemein mit den vielen anderen, mit deinen Jagdfreunden, mit diesen entsetzlich langweiligen reichen Typen, die aus lauter Langeweile auf Fasane oder Tontauben schießen und das auch noch teuer bezahlen. Ach, ich glaube, ich rede lauter Unsinn. Verstehst du, was ich meine?«

»Ja, ich verstehe dich sehr gut.«

»Dann verstehst du mehr als ich. Aber ich möchte mehr über deinen Schrein hören. Hat er was mit keltischen Ritualen zu tun?«

»Nein, mit den Kelten nicht. Ich habe den Altar dem

Gott Pan gewidmet. Er ist der griechische Gott der Wälder, Weiden und Felder.«

»Wunderbar. Aber wie bist du auf die Idee gekommen?«

»Schon in der Schule, als ich von den griechischen Göttern erfuhr, haben sie mich fasziniert. Ich fand sie menschlich, weil sie ihre Schwächen hatten, sie waren nicht so unerreichbar, wie es der Gott unseres Glaubens ist. Pan hätte seinen Spaß an dem, was wir gerade hier getrieben haben, er würde es als Akt der Freude und Ehre betrachten, dass es gerade vor seinem Altar geschehen ist.«

»Ich stimme deinem Pan zu«, sagte ich lächelnd.

»Ich habe nie Verständnis für das gehabt, was sie uns schon der Sonntagsschule eingebläut haben, nämlich, dass Sex eine Sünde sei«, fuhr Toby fort. »Körperliche Lust ist etwas, was uns den Göttern nahe bringt.«

Ich gab ihm einen Kuss.

»Ich habe die Schule gehasst, weil dort ein strenges Regiment herrschte. Ich wurde mal erwischt, als ich ein Glas Wein trank, und wurde dafür mit dem Rohrstock gezüchtigt. Seither habe ich die Heuchelei der Leute gehasst, und ich habe mich zu den griechischen Göttern geflüchtet, weil sie … weil sie so menschlich sind. Ich habe mich in sie verliebt – wie ich mich dann auch in dich verliebt habe.«

Ich brauchte eine Weile, ehe ich den Kloß in meiner Kehle schlucken und meine Tränen zurückhalten konnte. »Mir geht es genauso«, murmelte ich leise, »und ich liebe dich auch.«

Jetzt flossen die Tränen wieder, und er nahm mich in die Arme und drückte mich an sich. Wir erlebten einen wahnsinnigen Moment des Zusammengehörens, ehe ich ihn mit meinem albernen Kichern vertrieb.

»Weißt du, es bleibt mir nichts anderes übrig, ich werde dich heiraten müssen, denn es kann gut sein, dass du mich geschwängert hast.«

»Gut.«

Toby und ich heirateten im Mai; es wurde höchste Zeit, denn mein Bauch war schon leicht angeschwollen. Emma war eine wunderbare Brautjungfer, und Ray und seine Kumpane tanzten und sangen auf dem Hochzeitsempfang, der in die Geschichte von Berkshire als die lauteste, lustigste Veranstaltung in der langen Familiengeschichte der Paxham-Jennings' eingehen wird. Zweihundertfünfundfünfzig Flaschen Champagner wurden geleert.

Wir verbrachten die Flitterwochen in Griechenland, besuchten die Inseln und wandelten auf den Spuren von Pan und Dionysus, dem Gott des Weins. Wir liebten uns unter freiem Himmel, um uns herum der Duft von Thymian und Salbei.

Als ich endlich den Mut fand und Toby von meinem Wildern berichtete, lachte er nur und nannte mich Artemis – ein schönerer Spitzname als Nasehoch. Zurück in England bauten wir einen kleinen Altar in der Nähe vom Alderhouse, auf einer kleinen Insel im See, auf der wir viele gemeinsame Stunden verbrachten.

Von Marsh erzählte ich ihm nichts, und wie Emma vorausgesagt hatte, behielt er unser Geheimnis für sich. Ich hatte kein Verlangen mehr nach ihm. Toby war besser, tiefer, einfallsreicher und intelligenter.

Mein Hochzeitsgeschenk von Donald und Elizabeth bestand aus Anteilsscheinen an der Firma Alderhouse Estate. Dadurch erhielt ich das Recht, über den Kurs des Unternehmens mit zu entscheiden, doch ich machte noch keinen Gebrauch davon, auch nicht, als ich wieder in der Küche arbeitete.

Aber dann, im Spätsommer, erschien eine schlechte Kritik über uns, ausgerechnet von der angesehenen Amy-Jane Bacau, die ihre erheblichen Zweifel an der Qualität eines Sirloinsteaks veröffentlichte, das Blane ihr serviert hatte. Bei der monatlichen Besprechung mit den Anteilseignern versuchte er, die Kritik herunterzuspielen.

»Die Frau wird langsam senil. Sie lebt in ihrer Vergangenheit.«

Das mochte stimmen, aber ich hielt das nicht für einen Fehler. Und senil war sie ganz sicher nicht.

»Vielleicht schreibt sie von einer Vergangenheit, in der man auf die englische Küche stolz sein konnte«, sagte ich scharf.

Es war ein Satz, den ich oft genug von ihm gehört hatte. Deshalb sah er mich verärgert an. »Nein, ich rede davon, dass sie besessen von ihrer Ansicht ist, dass früher alles besser war. Viele ältere Leute denken so. Ihre Sinne arbeiten langsamer, darin liegt das Problem.«

»Kann sein, aber sie ist noch keine sechzig, und sie hat eine Menge Erfahrung. Wo kam das Fleisch her, das sie bemängelt?«

»Von unseren üblichen Lieferanten.«

»Von welcher Herde? War es lange genug abgehangen?«

»Ich ... das weiß ich nicht. Sie haben sich vergrößert, und Dereck und Jackson ...«

»Da liegt das Problem«, unterbrach ich ihn. »Sie werden größer und sind gezwungen, wegen der Quantitäten Abstriche bei der Qualität vorzunehmen. Kein Lieferant von Massenware kann Qualität garantieren.«

»Das ist mir klar, Juliet, aber ...«

»Kein Aber. Wir müssen auf unseren Ruf bedacht sein. Wir sollten uns von hiesigen Bauern beliefern lassen. Auf der Bourne Farm stehen Red Herefords, die ausgezeichnetes Fleisch liefern, das wir zurückverfolgen können. Nur dadurch lässt sich Qualität sichern.«

»Aber so können wir nicht arbeiten! Es ist teurer, es kostet zu viel Zeit ...«

»Ich übernehme das gern.«

»Das wird nicht nötig sein.«

»Nun, wir haben Ihre Meinung gehört, Mr. Blane, aber wir werden unsere Pläne zur Qualitätsverbesserung ab sofort selbst verfolgen.«

Ende

Heißer Sex unter der brennenden Sonne der Karibik

Sophie, Croupier auf einem Kreuzfahrtschiff in der Karibik, will das große Geld. Doch dafür braucht sie Komplizen. Zum Glück kennt sie alle Tricks, wie man Männer verführt. Kompliziert wird die Sache erst, als der Kapitän des Schiffes sich für Sophie zu interessieren beginnt ...

»Bücher, die die Nation im Sturm genommen haben.«
Spank

Die Romane aus dieser Reihe haben allein in England eine Gesamtauflage von über drei Millionen Exemplaren. Sie werden in fünfzehn Sprachen übersetzt und sind die erfolg-hsten erotischen Romane auf der Insel.

3-404-14850-9